3

Grado elemental

Mi método

Teoría musical

impromptu ✓

© Edición autorizada para todos los paises a:

IMPROMPTU EDITORES, S.L.
C/. Alqueria de Raga, 9 - 46210 Picanya (España)
email: info@impromptueditores.com
www.impromptueditores.com

© Autores: Consuelo Martínez
            Andrea Casany
            Rubén Manzana
            José Vicente Sancho
            Cecilia Taberner
            Consuelo González

Cuento © Rosa Iniesta

Ilustración y maquetación: Antonio García Valledor

Comunicación: Ideas Estratégicas de Marketing SL

Grabación estudio: Rubén Climent

I.S.B.N.: 978-84-15972-71-6 (Obra completa)

I.S.B.N.: 1ª Ed. 1ª Imp.- 978-84-15972-69-3 (2016)
         1ª Ed. 2ª Imp.- 978-84-15972-69-3 (2017)
         1ª Ed. 3ª Imp.- 978-84-15972-69-3 (2018)
         1ª Ed. 4ª Imp.- 978-84-15972-69-3 (2019)

Depósito Legal: V-1263-2016

Imprime: ✪ gràfiques vimar
         www.vimar.es Tel. 96 159 43 30

Prólogo

Bienvenido y felicidades de nuevo. Otro pasito más, sí, sabemos que no ha sido fácil, pero seguimos sospechando que te lo sigues pasando muy bien.

Enhorabuena, ya tienes bastantes conceptos nuevos aprendidos del año pasado, tonalidades que no conocías, escalas, intervalos, alteraciones, acordes,... y lo mejor de todo, lees música con mayor fluidez y has desterrado muchos miedos, hace muy poco cuando veías un pentagrama lleno de signos extraños te parecía impensable poder llegar a descifrarlos, ahora no solo lo haces sino que le encuentras sentido a cada uno de ellos.

¿Te has preguntado alguna vez lo que sería la vida sin música?. Aburrida y de una fragilidad descorazonadora. Por eso a partir de ahora no vale que te rindas, porque has tenido la fortuna de superar con éxito los conceptos más elementales y es tu momento de arriesgar, que tomes iniciativas, que prestes atención a tus clases pero sobre todo que no te obsesiones con repetirlo todo varias veces sino de comprender el porqué de cada nuevo concepto.

Ahora ya sabes que hay, por suerte, numerosos compositores que escribieron y siguen escribiendo preciosas obras y que manejan un ritmo, un estilo y una escritura emocionante, quizás no dentro de mucho tiempo tú puedas ser uno de ellos, pero para ello todavía nos queda camino por recorrer.

Con estos libros seguirás cantando canciones populares, primero porque forman parte de la cultura popular y en segundo lugar porque ejercitan la memoria, atrévete a buscar dentro de ellas los elementos que unidad a unidad te vamos presentando, los ejercicios de ritmo seguirán introduciéndote en los diferentes tipos de figuras, medidas y compases, con los de entonación afianzarás los conceptos teóricos aquí expuestos y los rítmicos a través de la práctica, la pieza del final de cada unidad te servirá de repaso de una manera muy divertida porque son muy chulas, todo esto con la compañía de la Hermosa Bruja Rosalinda.

No olvides que tu profe sabe más que estos libros y todavía más secretos que nosotros no te contamos, ah! se nos olvidaba, dile que hemos compuesto una obra para tí, se llama **Circus Suite** y la hemos escrito para una banda infantil sobre las piezas contenidas en **Mi Método**, de esa manera también podrás tocar con el instrumento que estudies algunas de las piezas del final de cada unidad, ah! que torpe, también se nos olvidaba, dile que tenemos también unas piezas preparadas para el final del primer trimestre para que las cantes con tus compis y acompañado de una orquesta, para que tus papis cuando llegue la navidad puedan escuchar tus progresos.

¿A que es emocionante?. Pues vamos a empezar y el curso que viene nos volvemos a ver.

L@s Autor@s.

Índice

Recuerda:

Compases simples denominador 4, compases compuestos denominador 8.
Vamos a recordar los **compases simples** y **compuestos** que conoces.

	2/4	3/4	4/4	6/8	9/8	12/8
Número de tiempos (N.T.)	2	3	4	2	3	4
Número de subdivisiones (N.S.)	4	6	8	6	9	12
Unidad de subdivisión (U.S.)	♪	♪	♪	♪	♪	♪
Unidad de tiempo (U.T.)	♩	♩	♩	♩.	♩.	♩.
Unidad de compás (U.C.)	𝅗𝅥	𝅗𝅥.	𝅝	𝅗𝅥.	𝅗𝅥.𝅗𝅥.	𝅝.

En las próximas unidades irás aprendiendo compases nuevos hasta completar el cuadro de compases simples y de compases compuestos.

Recuerda:

Escalas diatónicas mayores y menores: natural, armónica y melódica.

Recuerda ahora las escalas mayores y menores que conoces:
Escalas mayores con una o ninguna alteración en la armadura.
Escalas menores con una o ninguna alteración en la armadura.

```
        5ª J              5ª J
Fa M          Do M          Sol M
Re m          La m          Mi m
        5ª J              5ª J
(1♭)          (♮)           (1♯)
```

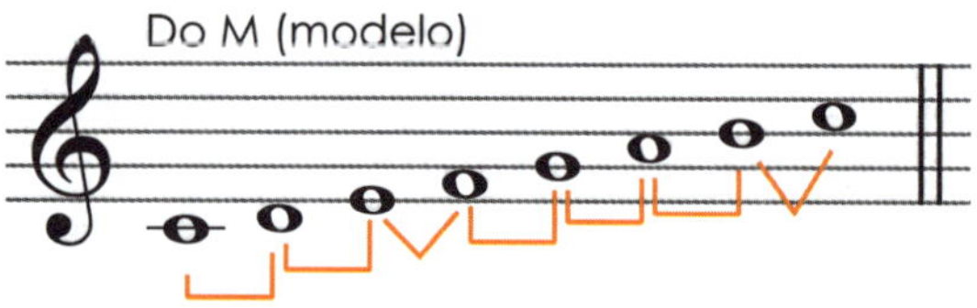

Do M (modelo)

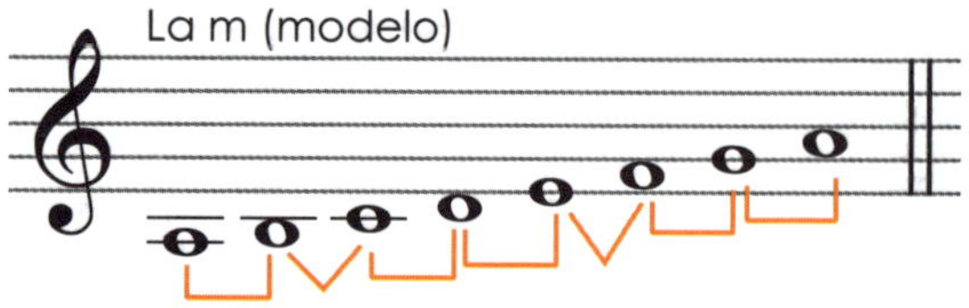

Sol M

Fa M

La m (modelo)

Mi m

Re m

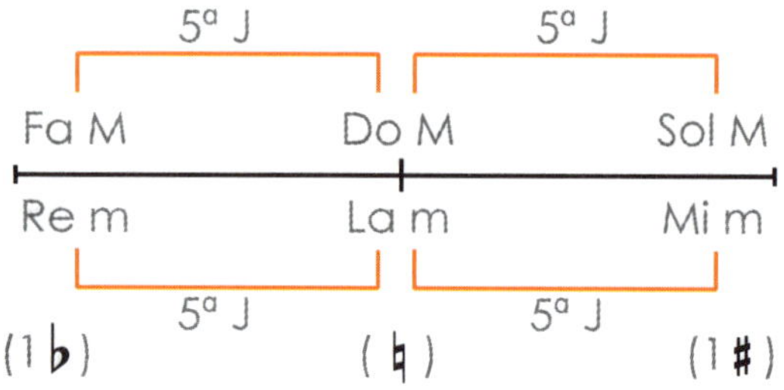

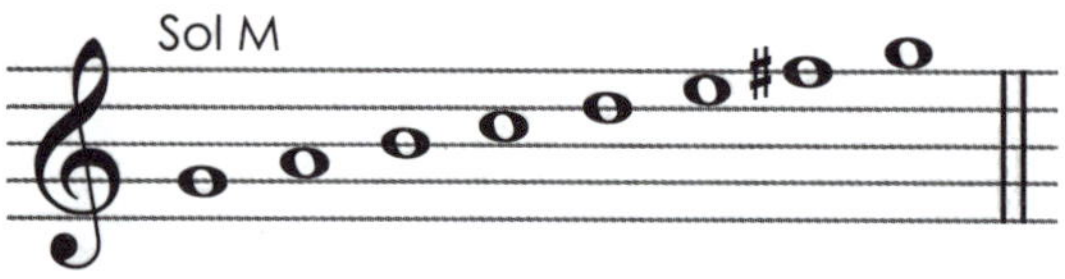

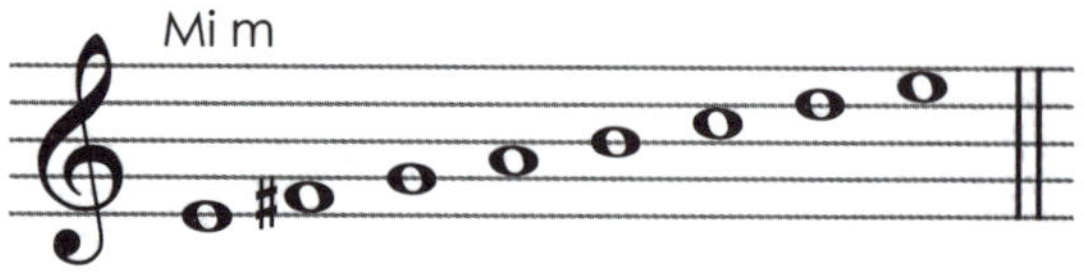

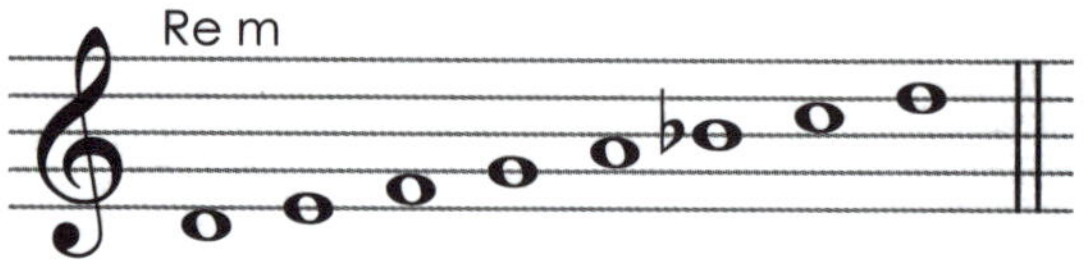

Recuerda:

Las escalas menores pueden ser **naturales** cuando mantienen las alteraciones de la armadura, **armónicas** cuando llevan además el 7º grado alterado y **melódicas** cuando llevan alterados el 6º y el 7º grado en sentido ascendente, pero no en sentido descendente.

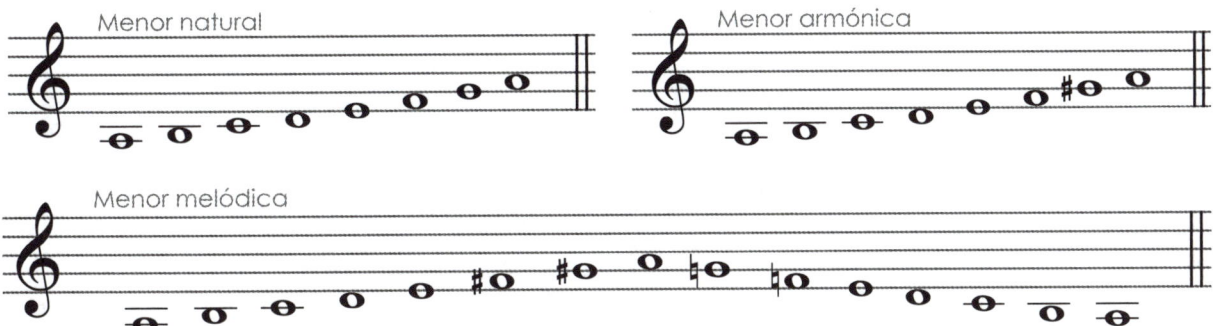

Menor natural

Menor armónica

Menor melódica

Recuerda:

Como ves, todas las tonalidades siguen un orden de 5as justas ascendentes o descendentes.

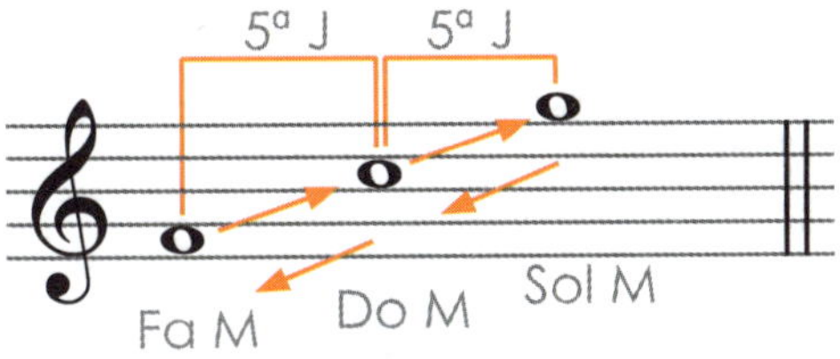

5ª J   5ª J

Fa M   Do M   Sol M

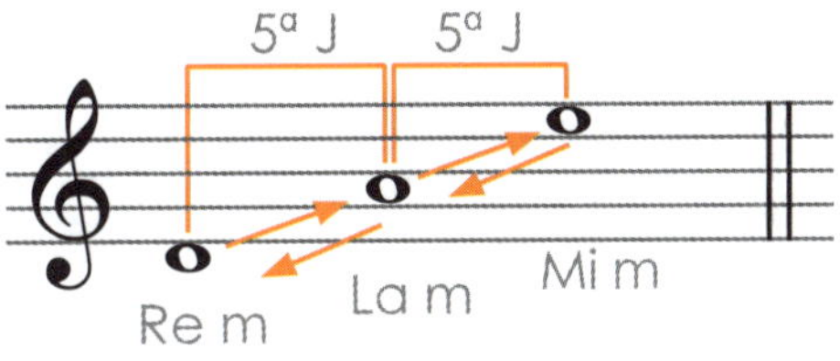

5ª J   5ª J

Re m   La m   Mi m

1. Completa el cuadro de compases simples.

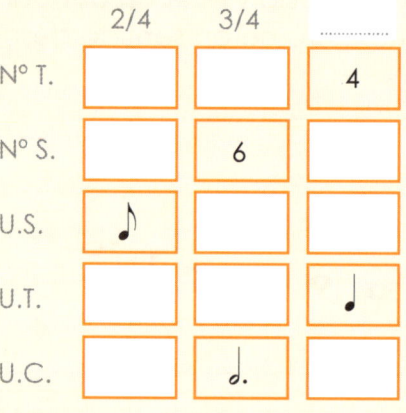

	2/4	3/4	....
N° T.			4
N° S.		6	
U.S.	♪		
U.T.			♩
U.C.		♩.	

2. Completa el cuadro de compases compuestos.

	6/8	....	12/8
N° T.		3	
N° S.			12
U.S.	♪		
U.T.		♩.	
U.C.	♩.		

3. Escribe la escala de Re Mayor.

Re Mayor

4. Escribe la escala armónica de Mi menor.

Mi menor armónica

5. Escribe la escala melódica de Re menor.

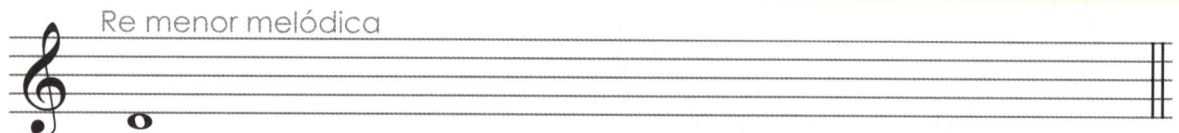

Re menor melódica

1

Recuerda:

Acordes perfecto mayor y perfecto menor.
Grados tonales y modales.
Ya sabes que los acordes triadas se forman añadiendo intervalos de 3ª a una nota, las notas que forman el acorde se llaman fundamental, 3ª y 5ª del acorde.

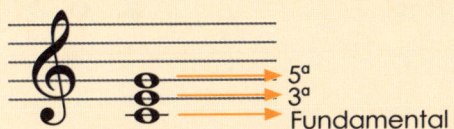

Y también recordarás que un acorde es **Perfecto Mayor (PM)** si está formado por una 3ª M + una 3ª m, o lo que es lo mismo una 3ª M + una 5ª J, y un acorde es **Perfecto menor (Pm)** si está formado por una 3ª m + una 3 M, o una 3ª m + una 5ª J.

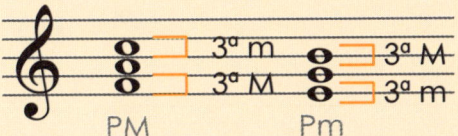

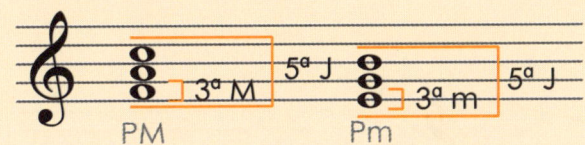

Los **grados tonales** son los acordes que se forman sobre el I, IV y V grado de una escala. Sobre ellos recae la función tonal más importante, nos confirman la tonalidad, y con ellos se puede acompañar cualquier melodía.

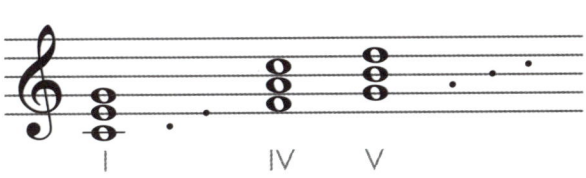

Los **grados modales** son los acordes que se forman sobre el III, VI y VII grado de una escala, son los que nos confirman la modalidad, diferencian el modo mayor del modo menor. El grado verdaderamente modal es el III, los grados VI y VII lo son en menor medida al ser grados variables.

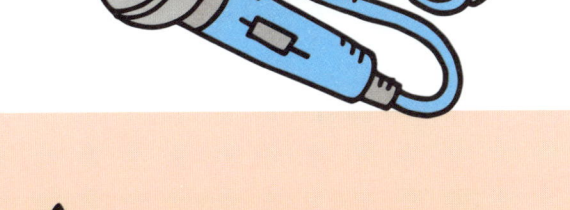

Tonalidad. Modalidad.
Tonalidades relativas y homónimas.

Tonalidad es la relación de cada sonido de una escala con el primero de ella, la tónica.
Cada nueva escala da lugar a una nueva tonalidad.

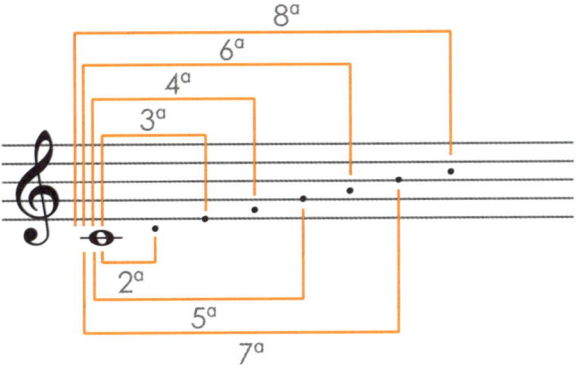

Al hablar de **modalidad** hablamos de como están ordenadas las distancias de tono y semitono en la escala, de su manera de sonar.

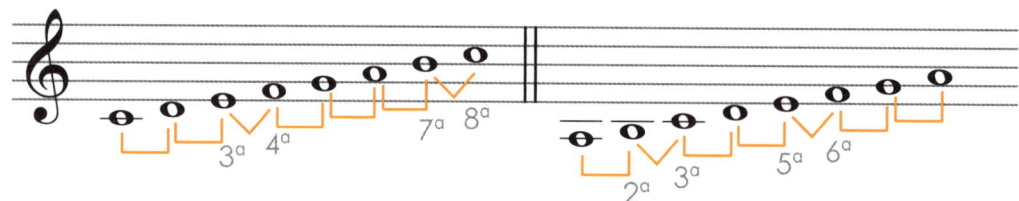

Recuerda:

Las tonalidades que tienen la misma armadura se llaman **tonalidades relativas** y sus tónicas se encuentran a distancia de 3ª m.

Tonalidades homónimas son las que tienen la misma tónica, pero modalidades distintas, una es mayor y la otra menor. Tienen armadura y sonidos diferentes.

Do M — Do m

La M — La m

1 Señala los acordes perfectos mayores de esta escala.

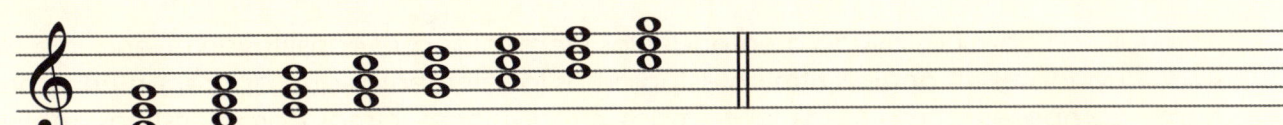

2 Completa el cuadro de grados tonales.

	Fa M	Do M	Sol M
I			Sol
IV	Si ♭		
V		Sol	

3 Completa el cuadro de tonalidades.

Sol M

(..............)   (♮)   (..............)

4 ¿A qué distancia se encuentran las tónicas de las tonalidades relativas?

....

5 ¿Cuál es la escala homónima de Mi menor?

....

6 Escribe la escala de La menor y señala sus grados modales.

La m

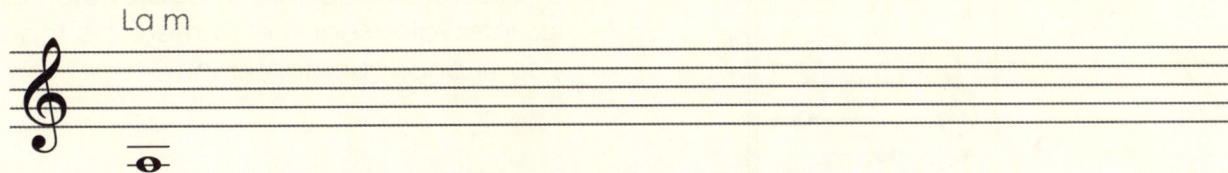

Análisis rítmico. Equivalencias en los cambios de compás.

Analizar una obra nos ayuda a entender los elementos que constituyen el lenguaje musical, cuando es un **análisis rítmico** estudiamos los elementos que aparecen en la obra como compases, cómo medir los tiempos, subdivisiones, ritmos característicos, motivos rítmicos, patrones, etc..

Los cambio de compás vienen precedidos de una doble barra, también puedes encontrar indicaciones de metrónomo encima de esa doble barra, las **equivalencias**. Estas son algunas de las indicaciones que te puedes encontrar:

En ambos casos se debe mantener siempre el pulso a la misma velocidad.

Intervalos: Clasificación y calificación.

Recuerda:

¿Recuerdas estos cuadros?. Aquí puedes ver la **clasificación** de los intervalos según la dirección, el número de notas, si llevan alteración o no, etc.

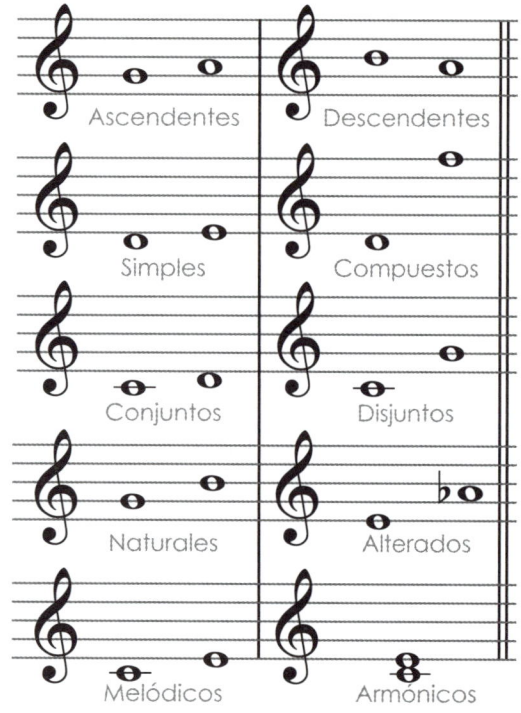

Y en este otro cuadro la **calificación** de los intervalos según el número de tonos y semitonos que contienen.

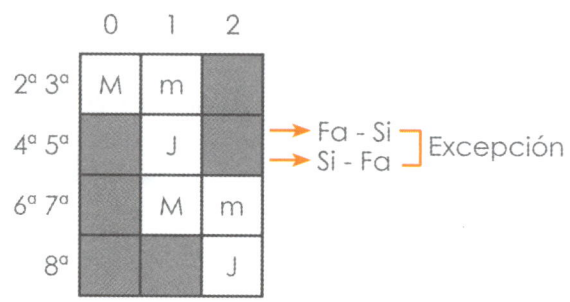

Como ves entre sonidos naturales, los intervalos de 2ª y 3ª que no tienen semitonos son mayores y los que tienen uno menores. Los de 4ª y 5ª con un semitono son todos justos, excepto Fa-Si y Si-Fa. Los de 6ª y 7ª son mayores si tienen un semitono y menores si tienen dos semitonos. Los de 8ª con dos semitonos son siempre justos.

Cuando los intervalos llevan alteraciones debes recordar que un sostenido en el sonido agudo hace más grande el intervalo

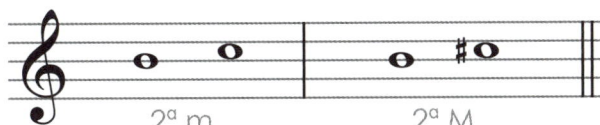

y si está en el sonido grave lo hace más pequeño,

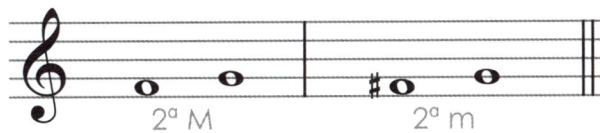

y al contrario, un bemol en el sonido agudo hace más pequeño el intervalo

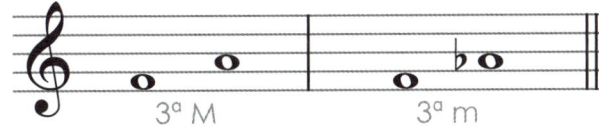

y más grande si está en el sonido grave.

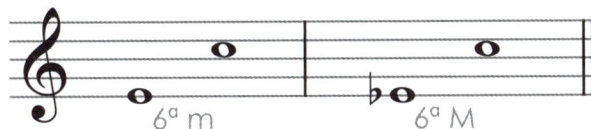

Si las alteraciones son iguales no cambia.

1 Señala los ritmos más característicos.

2 Escribe la equivalencia necesaria para mantener el mismo pulso.

2

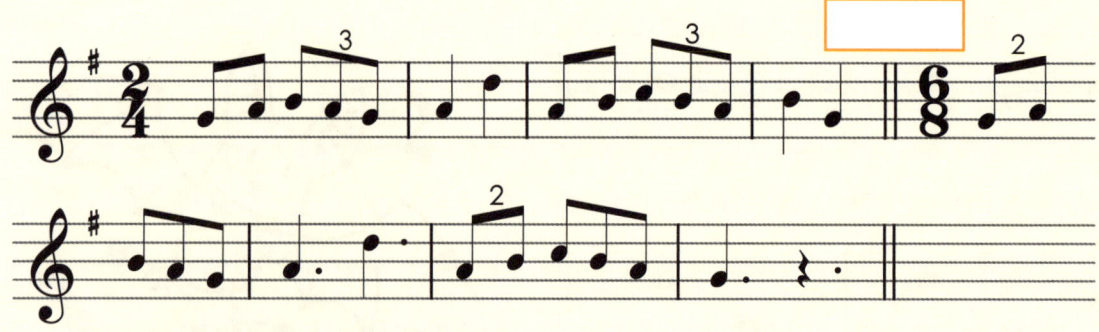

3 Completa el cuadro de intervalos.

Excepción

4 Clasifica estos intervalos.

Recuerda:

Notas extrañas al acorde: Nota de paso, floreo, apoyatura y anticipación.

Recuerda que **notas reales** son las notas que constituyen el acorde

y las **notas extrañas** son las notas que no forman parte del acorde. Vamos a recordarlas:

Nota de Paso: Une dos notas reales próximas.

Floreo: Se escribe entre dos notas reales iguales, a distancia de 2ª superior o inferior.

Apoyatura: Se escribe delante de una nota real, a distancia de 2ª superior o inferior.

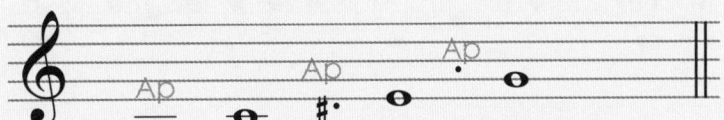

Anticipación: Es una nota real de un acorde que aparece también en el acorde anterior, no siendo nota real en éste.

Comienzo tético, anacrúsico y acéfalo. Final conclusivo y suspensivo.

Ya sabes que cuando el motivo empieza con el acento del compás lo llamamos motivo o comienzo **tético**, cuando lo hace antes del acento motivo **anacrúsico**, y si lo hace después del acento, motivo **acéfalo**.

Tético   Anacrúsico   Acéfalo

Si el final de una frase termina en tiempo fuerte, se le llama final **conclusivo**, si lo hace en débil, final **suspensivo**.

Final conclusivo   Final suspensivo

Ejercicios

1 Señala las notas de paso.

2 Señala los floreos.

2

3 ¿Qué es una apoyatura? ¿Una nota real o extraña al acorde?

....

4 Escribe Verdadero o Falso:

a. El comienzo tético empieza antes del acento. ☐ V ☐ F

b. El comienzo anacrúsico empieza con el acento. ☐ V ☐ F

c. El final conclusivo termina en tiempo fuerte. ☐ V ☐ F

d. La anticipación es una nota real de un acorde que aparece también en el anterior, no siendo nota real en éste. ☐ V ☐ F

El intervalo de 2ª, puede ser disminuido, (D), menor (m), mayor (M) o aumentado (A).
Hasta ahora hemos calificado los intervalos en tres tipos: mayores, menores y justos.
Vamos a añadir ahora dos tipos más: los intervalos aumentados y disminuidos.
Los intervalos **disminuidos** son los que tienen un semitono menos que los menores y que los justos, y los intervalos **aumentados** son los que tienen un semitono más que los mayores y justos.

Fíjate en estos cuadros: los intervalos de 4ª, 5ª y 8ª pueden ser aumentados, justos o disminuidos.

y los intervalos de 2ª, 3ª, 6ª y 7ª pueden ser aumentados, mayores, menores o disminuidos.

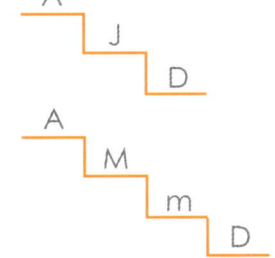

Cada escalón representa un semitono más o menos que el siguiente.

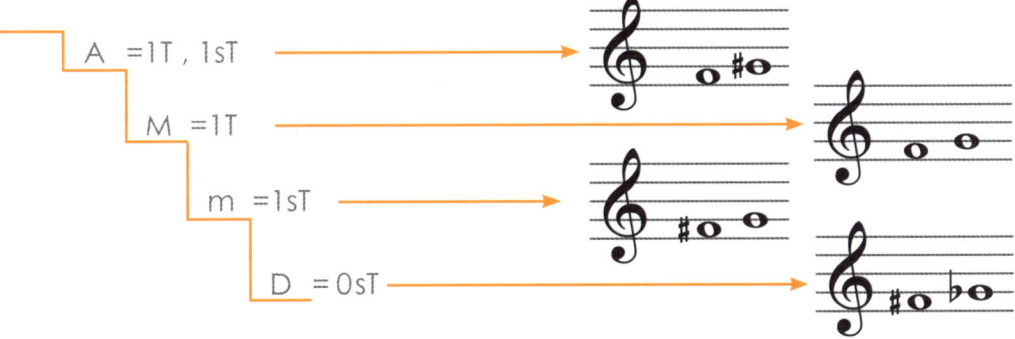

Intervalo de 2ª. Semitono diatónico, cromático y enarmonía.
Como ves el intervalo de 2ª disminuida existe sólo en teoría, ya que en la práctica no hay distancia de intervalo. El intervalo de 2ª disminuida recibe el nombre de **enarmonía** al estar formado por dos notas de distinto nombre que suenan igual.

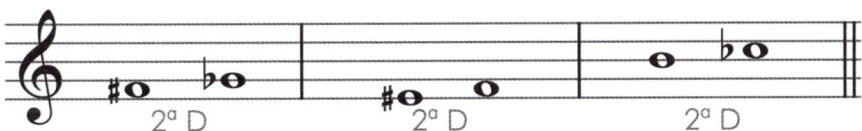

Los intervalos de 2ª menor reciben también el nombre de semitono **diatónico**, formado por notas de diferente nombre.

Al semitono formado por una nota natural y otra del mismo nombre alterada se le llama semitono **cromático**.

Semitonos diatónicos

Semitonos cromáticos

Escala de Re Mayor, sus grados tonales y modales. Estructura I IV V I.
Tomando como modelo la escala de Do Mayor y empezando en la nota Re obtenemos la **escala de Re Mayor**, el Fa y el Do serán siempre sostenidos.

La armadura correspondiente a la tonalidad de Re Mayor tendrá 2 sostenidos.

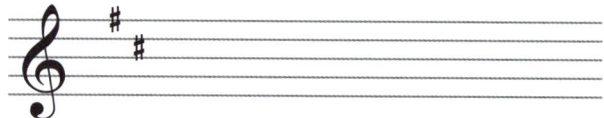

Estos son los grados tonales de Re Mayor: I, IV y V.

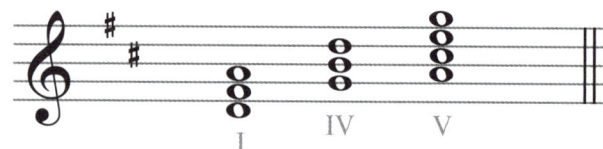

y éstos los grados modales: III, VI y VII.

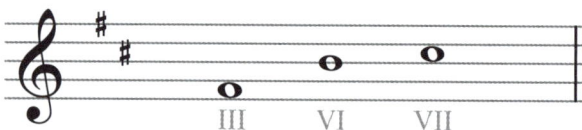

Homónimas Re Mayor y Re menor. Compara estas dos escalas.

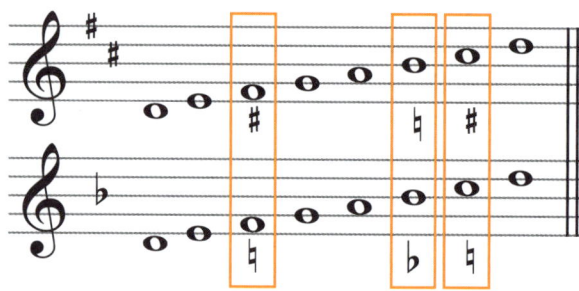

Como ves tienen distintas armaduras, y se diferencian únicamente en los grados modales.
Estas escalas se llaman **homónimas**.

1 Califica estos intervalos de 2ª.

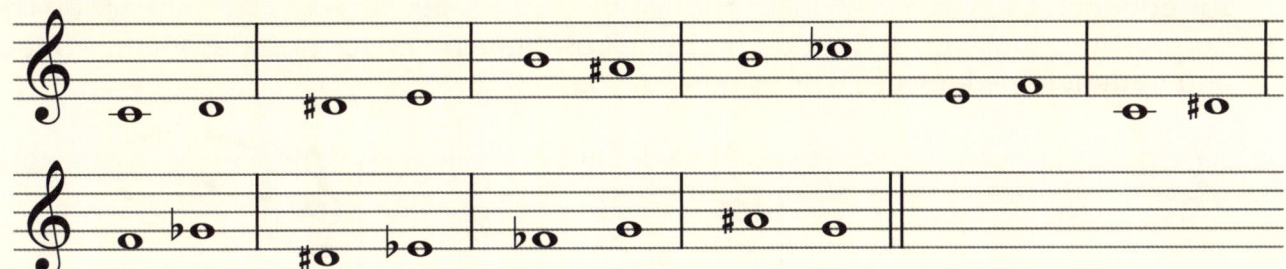

2 Escribe la escala de Re Mayor, señala sus grados tonales (T) y los modales (M).

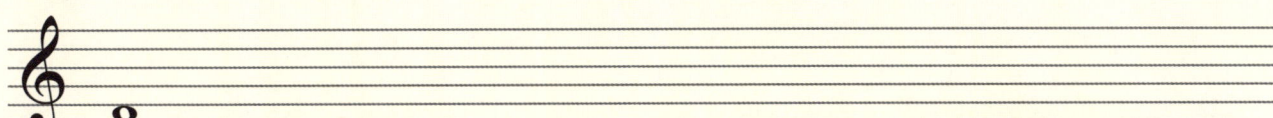

3 Completa estos intervalos.

2ª M   2ª A   2ª m   2ª D

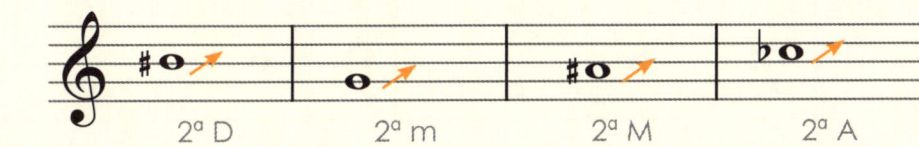

2ª D   2ª m   2ª M   2ª A

4 Señala con (D) o (C) los semitonos diatónicos o cromáticos.

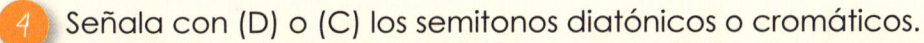

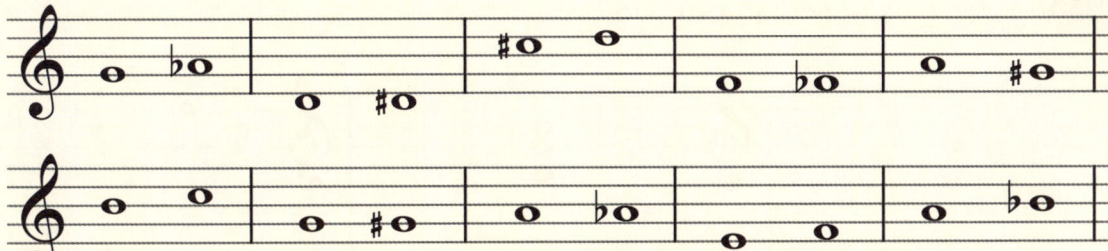

5 Señala Verdadero o Falso:

a. Los intervalos de 4ª, 5ª y 8ª pueden ser aumentados, justos o disminuidos. ☐ V ☐ F

b. Los intervalos mayores tienen un semitono menos que los aumentados. ☐ V ☐ F

c. Los intervalos de 2ª menor tienen un tono. ☐ V ☐ F

d. Las 2ª pueden ser aumentadas, justas o disminuidas. ☐ V ☐ F

e. El semitono diatónico se forma entre dos notas del mismo nombre. ☐ V ☐ F

f. Las 2ª menores tienen un semitono diatónico. ☐ V ☐ F

g. La escala de Re Mayor tiene 1 sostenido en su armadura. ☐ V ☐ F

h. Re menor es homónima de Re Mayor. ☐ V ☐ F

Cadencia perfecta y plagal. Semicadencia al V.
Las **cadencias** son como el punto final de las frases o semifrases, pueden tener un final conclusivo o suspensivo. Cuando una semifrase termina en los acordes V-I se produce una **cadencia perfecta**, su final es conclusivo.

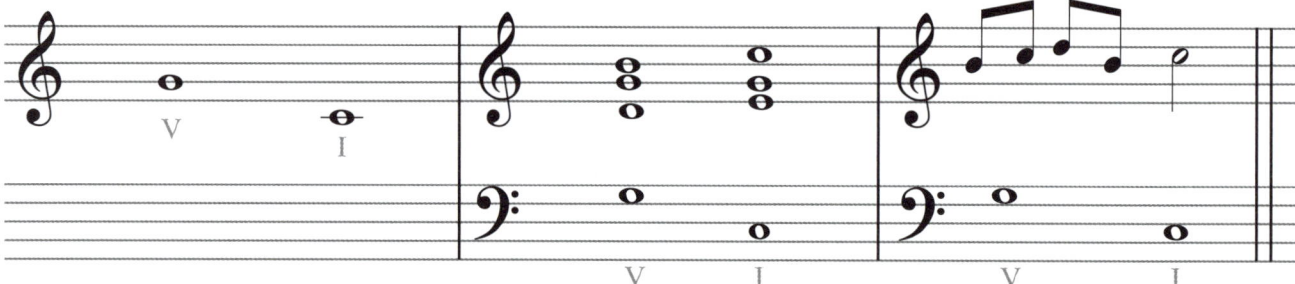

Y cuando acaba en los acordes IV-I se produce una **cadencia plagal**, también su final es conclusivo.

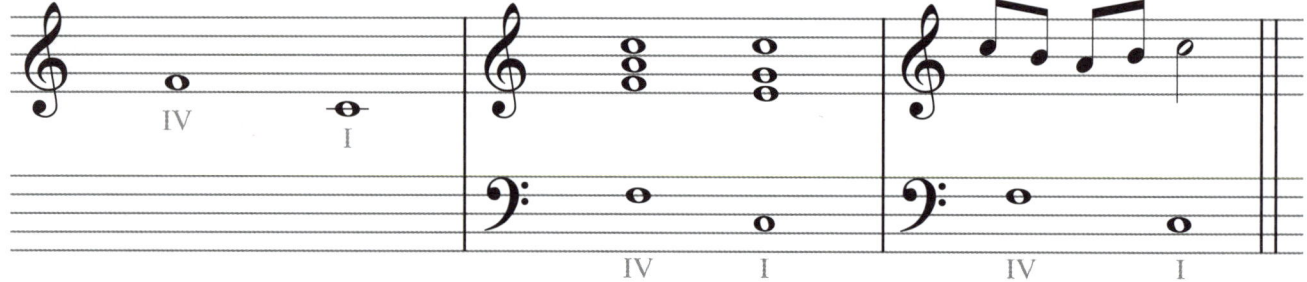

Si la semifrase no acaba en tónica, se produce una **semicadencia**, suele terminar en el acorde de V grado y tiene final suspensivo.

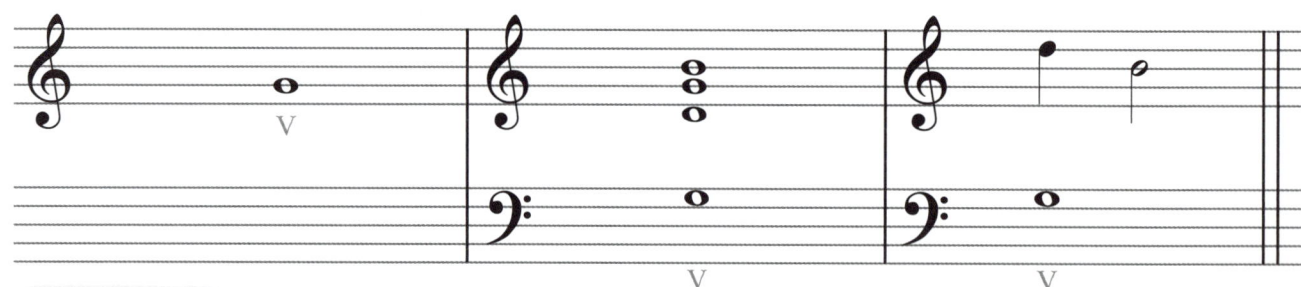

Recuerda:

Célula, motivo, semifrase y frase.
Vamos a repasar ahora algunos conceptos sobre la forma musical:

Célula: parte más pequeña que se puede analizar en una melodía. Podemos hablar de célula rítmica o de célula melódica.

Rítmica   Melódica

Teoría

Motivo: está formado por uno o dos compases y puede tener una o varias células.

Motivo

Semifrase: está formada por dos motivos. Si terminan en un acorde distinto al de tónica les llamamos **suspensivas** y si terminan con el acorde de tónica, **conclusivas**.

Semifrase

Frase: es una melodía con sentido musical completo, está formada por dos semifrases.

Frase

3

Ejercicios

1 Señala Verdadero o Falso.

   a. La cadencia perfecta termina en IV I.

   b. La semicadencia suele terminar en V.

   c. La célula tiene dos motivos.

   d. La semifrase se divide en motivos.

   e. Si la semifrase termina con el acorde de tónica se llama semifrase conclusiva.

☐ V ☐ F
☐ V ☐ F
☐ V ☐ F
☐ V ☐ F
☐ V ☐ F

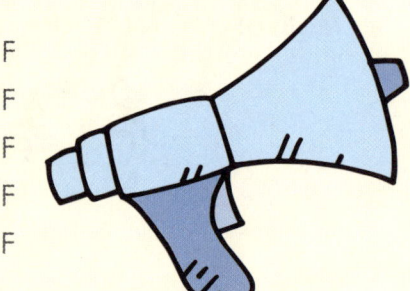

2 Señala los tipos de cadencia.

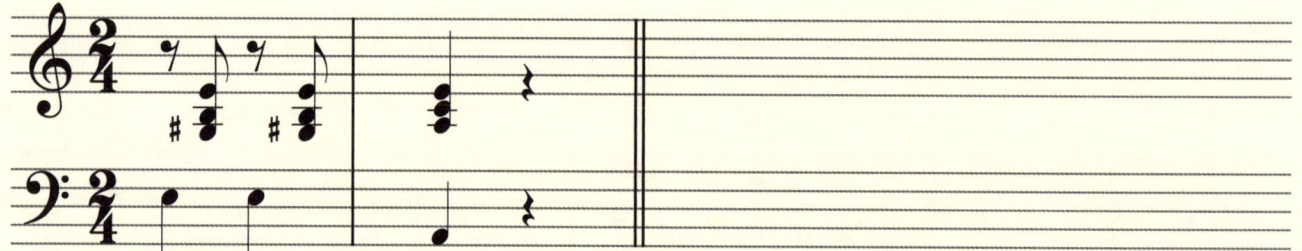

3 Señala los motivos.

4 Señala las semifrases.

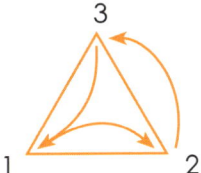

Compás de 3/8. Es un compás simple: ternario de subdivisión binaria. Tiene 3 tiempos, que se subdividen en mitades; su primer tiempo es fuerte y el segundo y tercero, débiles. Se marca como el 3/4.

Su unidad de subdivisión es la semicorchea ♪, su unidad de tiempo la corchea ♪ y su unidad de compás la negra con puntillo ♩.

U.S. ♪   U.T. ♪   U.C. ♩.

Recuerda el significado del numerador y denominador en los compases simples.

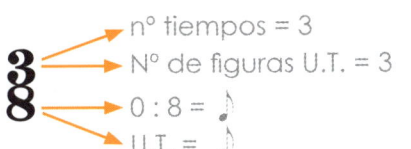

$$\frac{3}{8}$$
n° tiempos = 3
N° de figuras U.T. = 3
0 : 8 = ♪
U.T. = ♪

(U.T.) = ♪

U.T. x 3 T = U.C. ♩.

U.T. : 2 sub = U.S. ♪

Estas son las figuras que completan un compás de 3/8.

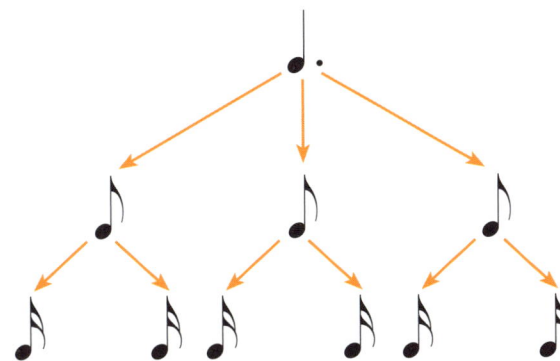

El 3/8 también puede ▶ escribirse así.

Si comparamos el 3/8 con el 3/4 veremos que tienen el mismo número de tiempos pero figuras diferentes, y si lo hacemos con el 6/8, veremos que el 3/8 es como un tiempo del 6/8.

	3/8	3/4
N° de Tiempos	3	3
N° de Subdivisiones	6	6
Unidad de Subdivisión	♪	♪
Unidad de Tiempo	♪	♩
Unidad de Compás	♩.	♩.

El 3/8 suele marcarse a uno cuando la velocidad es muy rápida.

Teoría

Escala de Si menor, sus grados tonales y modales. Estructura I IV V I. Si escribimos una escala menor a partir de la nota Si necesitamos alterar el Fa y el Do sostenidos para respetar las distancias de tono y semitono de una escala menor.

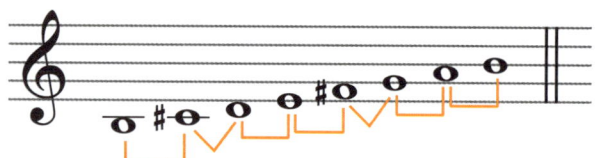

Esta es la armadura de Si menor.

Para formar la **escala armónica** de Si menor alteramos el 7º grado.

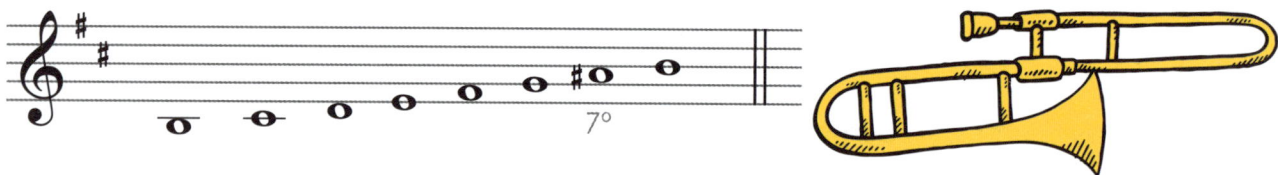

Para formar la **escala melódica** de Si menor alteramos el 6º y el 7º en sentido ascendente.

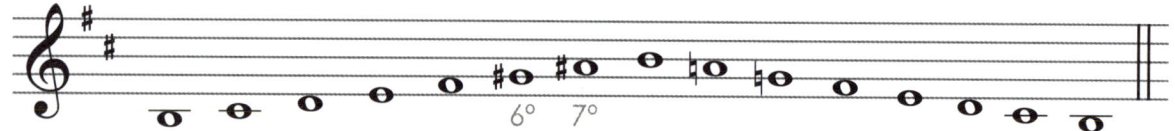

Sobre las notas Si Mi y Fa sostenido se forman sus **grados tonales**.

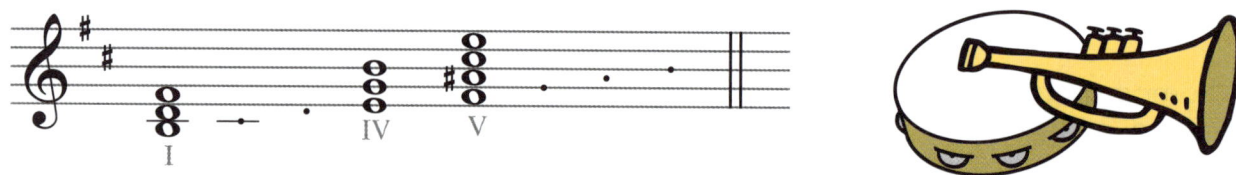

Observa que el V grado necesita la alteración del La sostenido, su **sensible**.

Sus **grados modales** son el III, VI y VII.

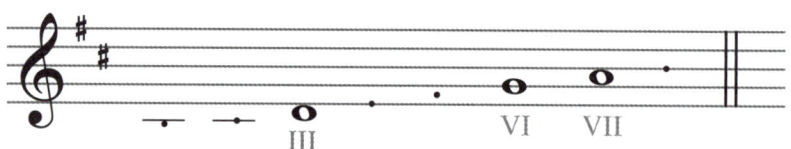

La tonalidad relativa de Si menor es Re Mayor, comparten los mismos sonidos ya que tienen la misma armadura. Sus tónicas están a distancia de 3ª menor.

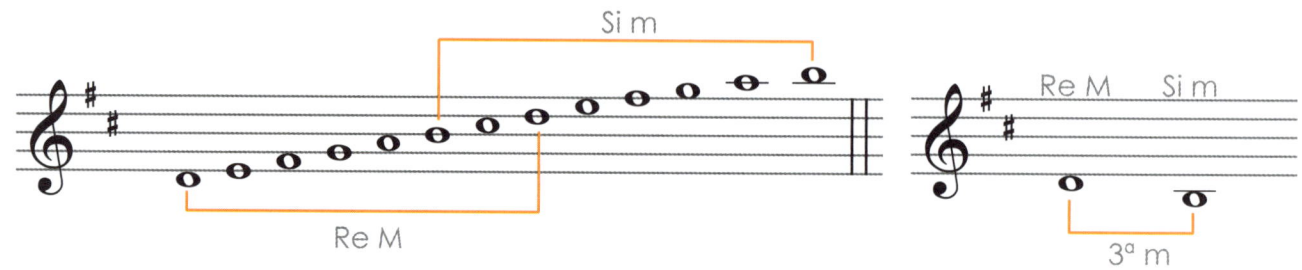

1. Escribe una cruz en la respuesta correcta. El compás de 3/8 es:

☐ Simple   ☐ Compuesto

☐ Ternario   ☐ Binario

☐ Subdivisión binaria   ☐ Subdivisión ternaria

☐ 3 tiempos   ☐ 6 tiempos

☐ 6 subdivisiones   ☐ 3 subdivisiones

☐ U.S. ♩   ☐ U.S. ♪

☐ U.T. ♪   ☐ U.T. ♪.

☐ U.C. ♩.   ☐ U.C. ♩

2. Escribe las figuras necesarias para completar los compases.

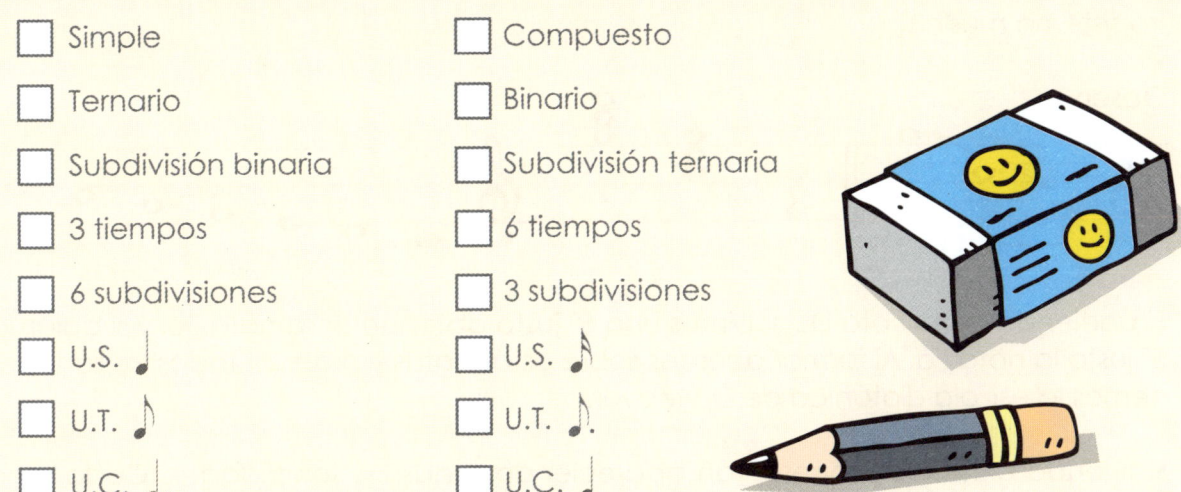

3. Escribe la escala melódica de Si menor, señala sus grados modales.

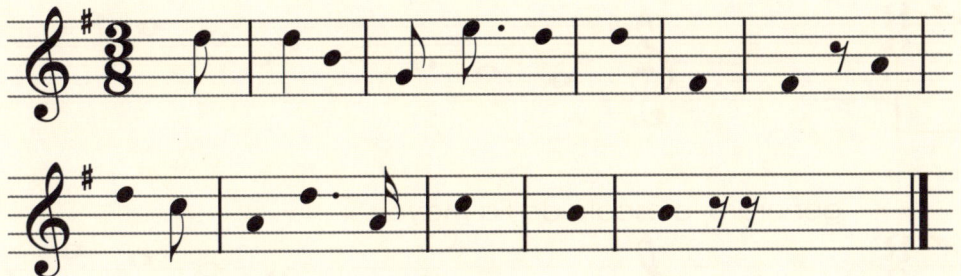

4. Escribe las alteraciones necesarias para que esta melodía esté en Si menor. No te olvides de la sensible.

El intervalo de 5ª justa es el intervalo generador de la serie o **círculo de quintas** de nuestro sistema musical.

Observa:

Si partiendo de la nota Do subimos una 5ª justa obtenemos la nota Sol y si bajamos una 5ª justa la nota Fa. Al formar acordes sobre estas notas y ordenar todos los sonidos obtenemos la escala diatónica de Do Mayor.

Siguiendo el mismo proceso irán apareciendo todas las tonalidades. Cada tonalidad nueva mayor o menor estará a distancia de 5ª justa ascendente o descendente de la anterior. Ejemplo:

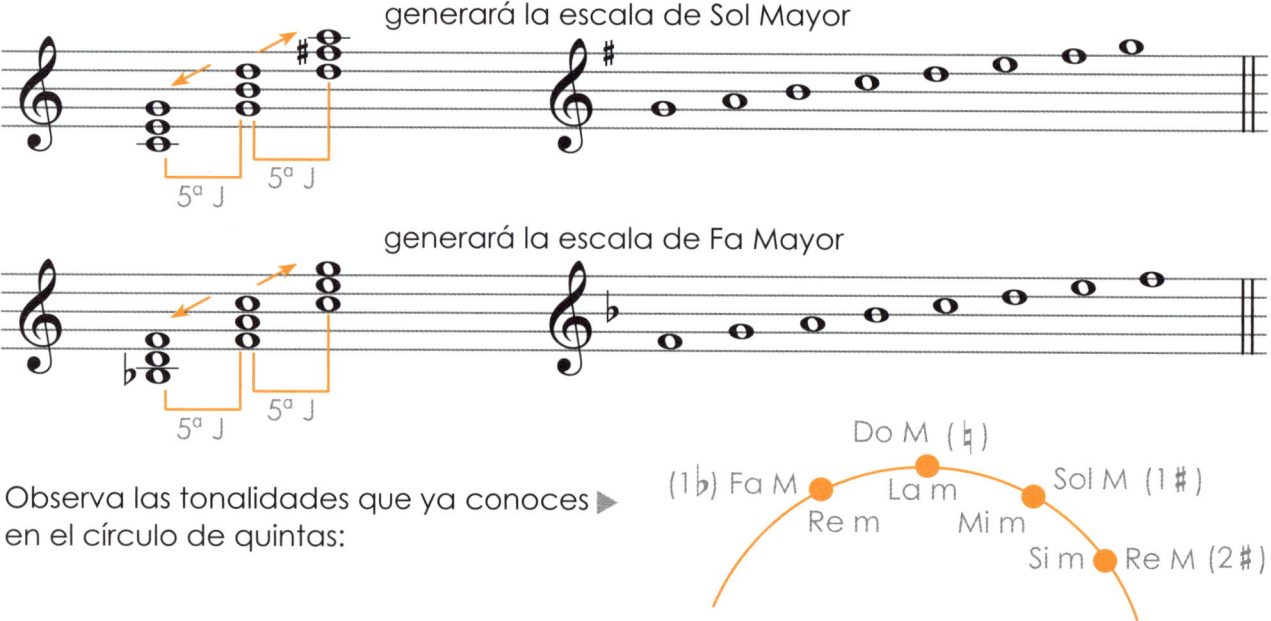

Observa las tonalidades que ya conoces ▶
en el círculo de quintas:

Cada tonalidad está separada por un intervalo de 5ª justa ascendente de la que está a su izquierda y tendrá un sostenido más y una 5ª justa descendente de la que está a su derecha y tendrá un sostenido menos o un bemol más.

Como saber la tonalidad conociendo la armadura.

Las armaduras están constituidas por sostenidos o bemoles, nunca los dos tipos de alteraciones a la vez. Todas las tonalidades con tónica natural llevan sostenidos excepto Fa mayor (un bemol) y Do mayor (no lleva alteraciones), las tonalidades con tónicas alteradas llevarán la alteración correspondiente a su enunciado.

Do M   (♮)
Fa M   (1♭)
Sol M   (1♯)
Si♭ M   (2♭)
Fa♯ M (6♯)

Si la armadura está **formada por sostenidos**:
Subiremos una 2ª menor al último sostenido y así obtendremos la tónica de la tonalidad.

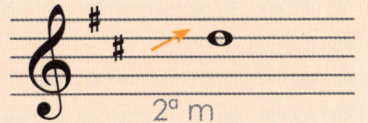

Si la armadura está **formada por bemoles**:
Subiremos una 5ª justa al último bemol y así obtendremos la tónica de la tonalidad.

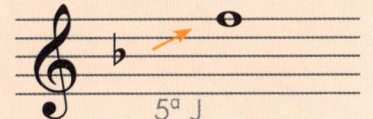

Para hallar la **tonalidad relativa** hay que bajar una 3ª menor.

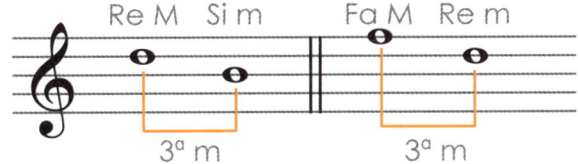

Como saber la armadura conociendo la tonalidad.

Haremos el proceso a la inversa:
Si la tonalidad lleva sostenidos, a la tónica le bajaremos una 2ª menor y así encontraremos el último sostenido, a partir de ahí contaremos en el orden de sostenidos hasta llegar a esa nota. Recuerda que el orden de sostenidos sigue el orden de 5ª justas.

Si la tonalidad lleva bemoles encontraremos la armadura bajando una 5ª justa a la tónica, esto nos dará el último bemol, y a partir de ahí contaremos en el orden de bemoles, que como sabes también sigue el orden de 5ª justas.

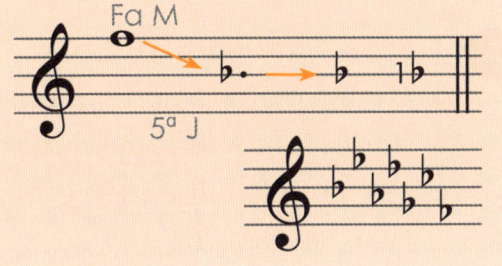

Cuando se trata de las **tonalidades menores** hay que subir una 3ª menor para encontrar la tonalidad mayor, o sea su relativa, y después seguir el proceso anterior.

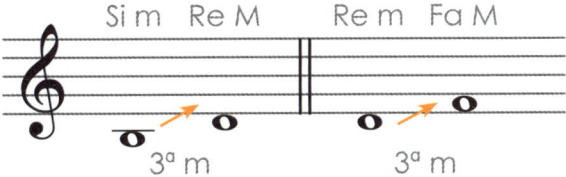

El intervalo de 3ª puede ser disminuido (D), menor (m), mayor (M) o aumentado (A).

Recuerda:

Cada escalón representa un semitono más o menos que el anterior.

1. Completa el círculo de tonalidades, escribiendo la tonalidad mayor y menor y sus armaduras.

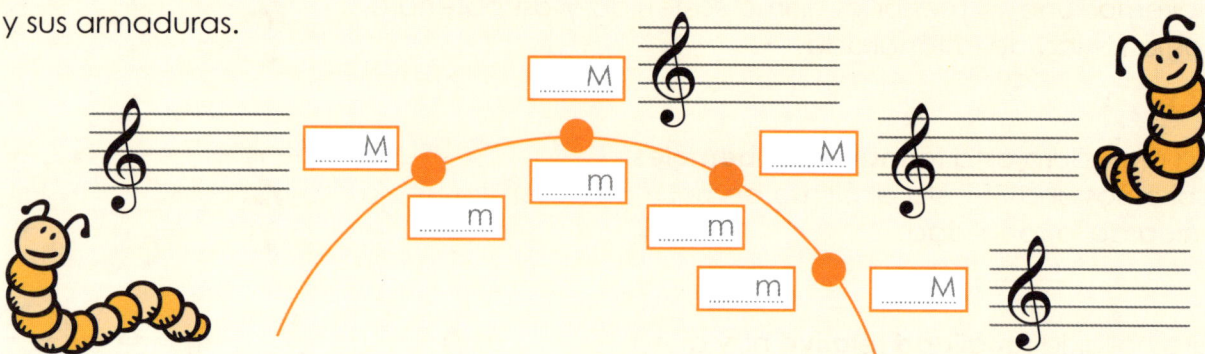

2. Une con flechas.

4

3. Escribe Verdadero o Falso.

  a. El intervalo de 5ª justa es el intervalo generador de la serie de quintas. ☐ V ☐ F

  b. Todas las tonalidades mayores están a distancia de 4ª J. ☐ V ☐ F

  c. Las armaduras pueden estar constituidas por sostenidos y bemoles a la vez. ☐ V ☐ F

  d. Las tonalidades relativas están a distancia de 3ª menor. ☐ V ☐ F

  e. Si la tonalidad lleva sostenidos subiendo una 2ª Mayor encontramos la tónica. ☐ V ☐ F

4. Califica estos intervalos de 3ª.

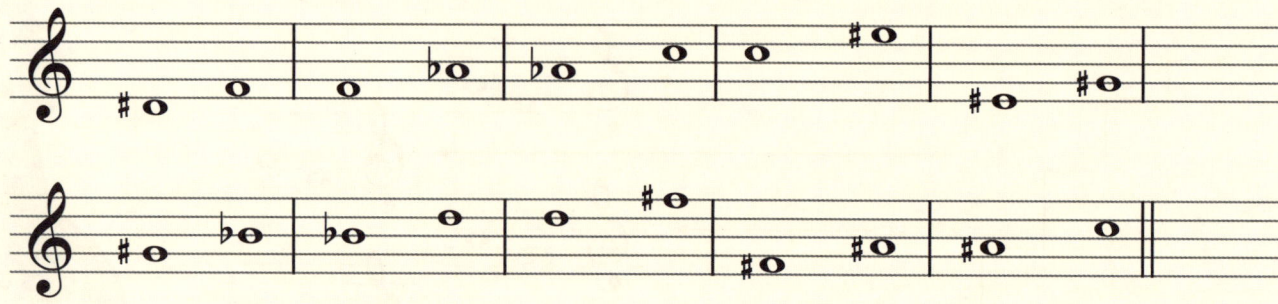

Teoría

Compás de 2/8. Es un compás simple: binario de subdivisión binaria. Tiene 2 tiempos, que se subdividen en mitades; el primer tiempo es fuerte y el segundo débil. Se marca como el 2/4.

Su unidad de subdivisión es la semicorchea, su unidad de tiempo la corchea y la de compás la negra.

U.S. ♬   U.T. ♪   U.C. ♩

Estas son las figuras que completan un compás de 2/8.

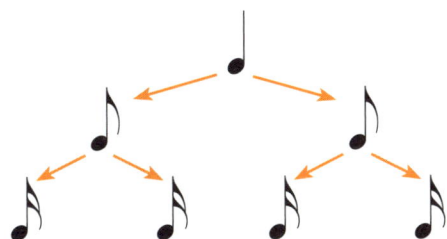

El 2/8 también puede ▶ escribirse así.

Observa la comparación entre el 2/8 y el 2/4.

Cada compás de 2/8 es como un tiempo del 2/4. Es frecuente marcar a un tiempo este compás.

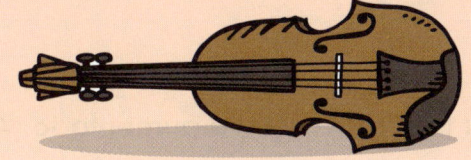

	2/8	2/4
Nº de Tiempos	2	2
Nº de Subdivisiones	4	4
Unidad de Subdivisión	♬	♪
Unidad de Tiempo	♪	♩
Unidad de Compás	♩	♩

Escala de Si bemol Mayor, sus grados tonales y modales. Estructura I IV V I.

Si escribimos una escala mayor a partir de la nota Si bemol necesitamos alterar el Si y el Mi con un bemol para respetar las distancias de tono y semitono de una escala mayor.

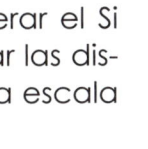

Esta es la armadura de Si bemol Mayor.

Sobre las notas Si bemol, Mi bemol y Fa se forman sus **grados tonales**.

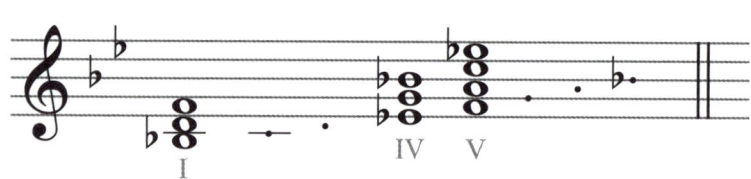

I   IV   V

Sus **grados modales** son Re, Sol y La.

III   VI   VII

Estos son los acordes enlazados sobre los grados tonales de Si bemol Mayor
I- IV -V -I.

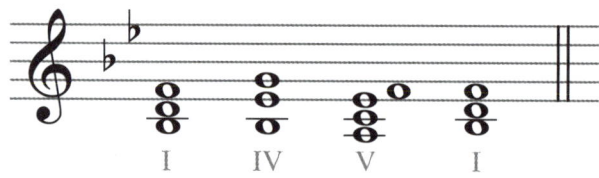

I   IV   V   I

El intervalo de 4ª puede ser disminuido (D), menor (m), mayor (M) o aumentado (A).

A = 3T

J = 2T 1sT

D = 2T

5

1 ¿Cuántas corcheas tienen los siguientes compases?¿En cuál de estos compases la corchea completa un tiempo?¿En cuál de ellos la U.S. es la corchea?

2 Escribe las alteraciones necesarias para que este fragmento esté escrito en Si bemol Mayor. Señala los grados tonales y los modales.

5

3 Forma el intervalo que se indica a partir de la nota dada.

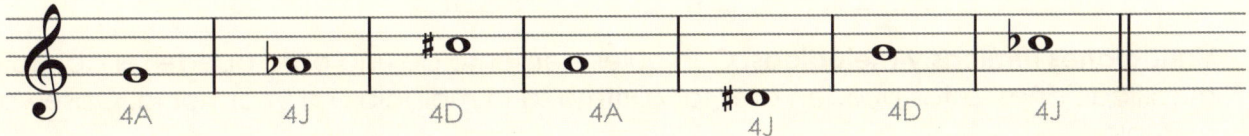

4 Completa los intervalos de 2ª, 3ª y 4ª que se indican. Escribe las líneas divisorias que faltan.

Numeración de octavas (8ª), el Do3. Para saber en que altura está situada una nota en el registro general de los sonidos se le da a cada octava una numeración. Una nota se designa con la octava a la que pertenece, escribiendo el nombre de la nota y a continuación el número de 8ª.

El Do central del piano es el **Do3**, y los siguientes Do ascendentes y descendentes siguiendo el número ordinal correspondiente (4, 5, 6... si es ascendente ó 2, 1, -1, -2... si es descendente).

Retardo. ¿Recuerdas las notas de paso, la apoyatura, el floreo y la anticipación? Todas eran notas extrañas al acorde, el retardo también lo es. Es una nota del primer acorde que se alarga después de la caída del segundo.

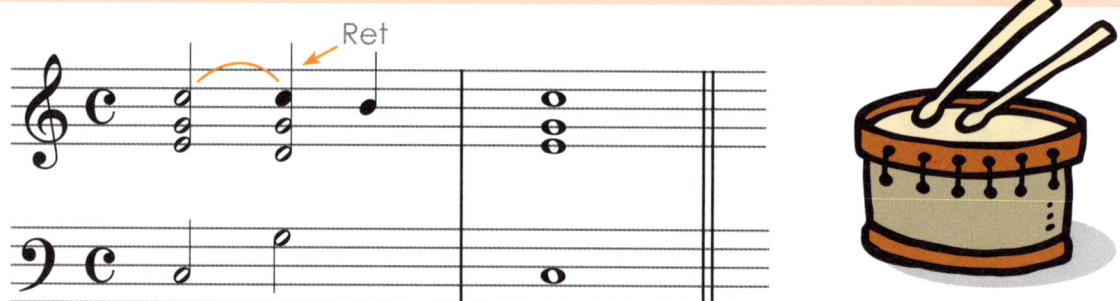

Variaciones rítmicas y melódicas. Cualquier elemento de una obra puede ser objeto de modificaciones, éstas pueden afectar al ritmo, a la melodía o a la armonía. Observa el ejemplo.

5

1 Numera estos sonidos.

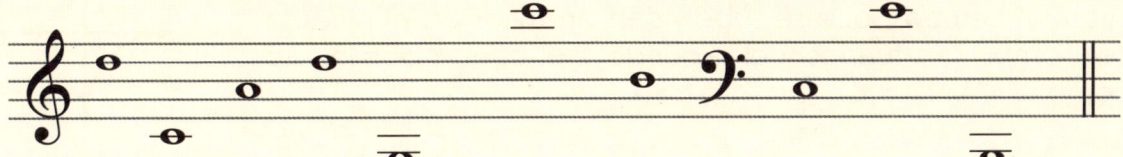

2 Señala Verdadero o Falso.

a. La apoyatura se coloca detrás de una nota real. □ V □ F

b. La anticipación es una nota que es nota real en □ V □ F
el siguiente acorde.

c. El floreo se coloca entre dos notas reales iguales. □ V □ F

d. El retardo es una nota del primer acorde que se □ V □ F
alarga después de la caída del segundo.

e. La nota de paso se escribe entre dos notas reales iguales. □ V □ F

3 Haz variaciones rítmicas sobre este tema.

4 Haz variaciones melódicas sobre este tema.

5

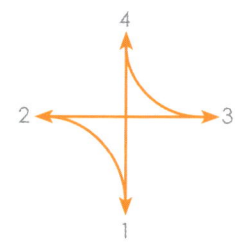

Compás de 4/8. Es un compás simple: cuaternario de subdivisión binaria. Tiene 4 tiempos, que se subdividen en mitades; el primero y el tercer tiempo son fuertes y el segundo y el cuarto débiles. Se marca como el 4/4.

Su unidad de subdivisión es la semicorchea, su unidad de tiempo la corchea y la de compás la blanca.

U.S. = ♪   U.T. = ♪   U.C. = ♩

Estas son las figuras que completan un compás de 4/8.

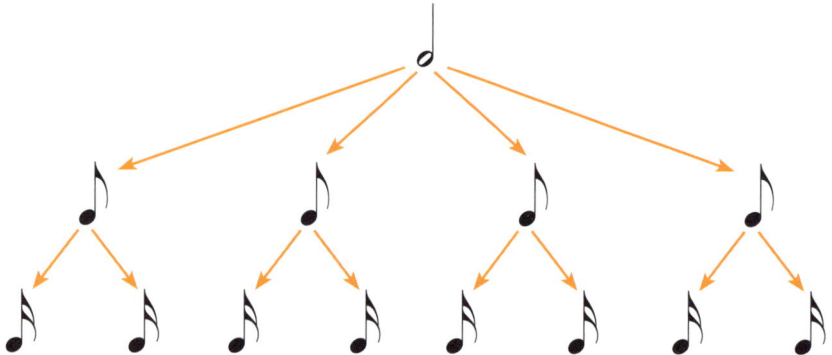

El 4/8 también puede escribirse así.

▼

Observa la comparación entre el 4/8 y el 2/4.

En los dos compases entran las mismas figuras pero tienen distinto número de tiempos. El 4/8 puede marcarse a dos tiempos.

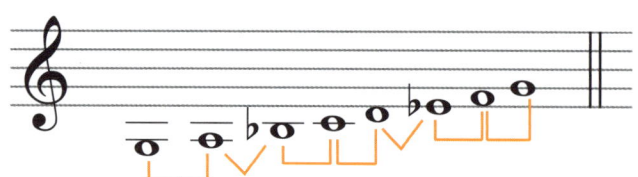

	4/8	2/4
Nº de Tiempos	4	2
Nº de Subdivisiones	8	4
Unidad de Subdivisión	♪	♪
Unidad de Tiempo	♪	♩
Unidad de Compás	♩	♩

Escala de Sol menor, sus grados tonales y modales. Estructura I IV V I.
Si escribimos una escala menor a partir de la nota Sol necesitamos alterar el Si y el Mi con un bemol, para respetar las distancias de tono y semitono de una escala menor.

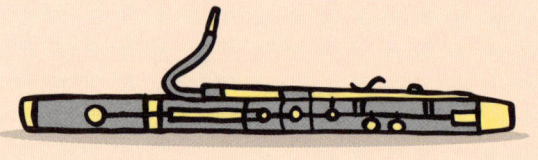

Esta es la armadura de Sol menor.

Para formar la **escala armónica** de Sol menor alteramos el 7º grado.

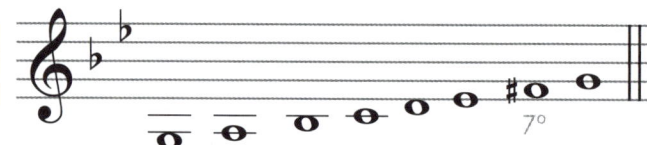

y para formar la **escala melódica** alteramos el 6º y el 7º en sentido ascendente.

Sobre las notas Sol, Do y Re (I, IV y V) se forman sus **grados tonales**.

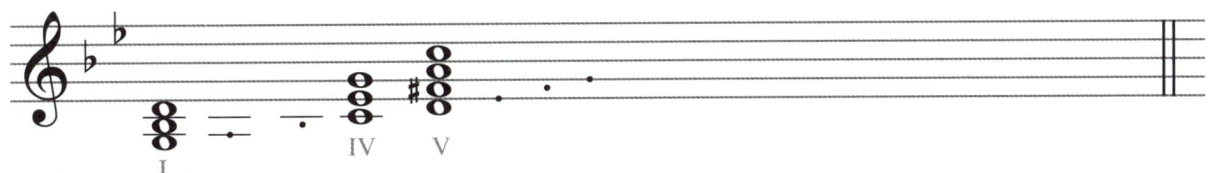

Recuerda:

El Fa necesita la alteración de un sostenido por ser la **sensible**.
Y las notas Si bemol, Mi bemol y Fa (III, VI y VII) son sus **grados modales**.

6

La **tonalidad relativa** de Sol menor es Si bemol Mayor. Comparten los mismos sonidos, ya que tienen la misma armadura.

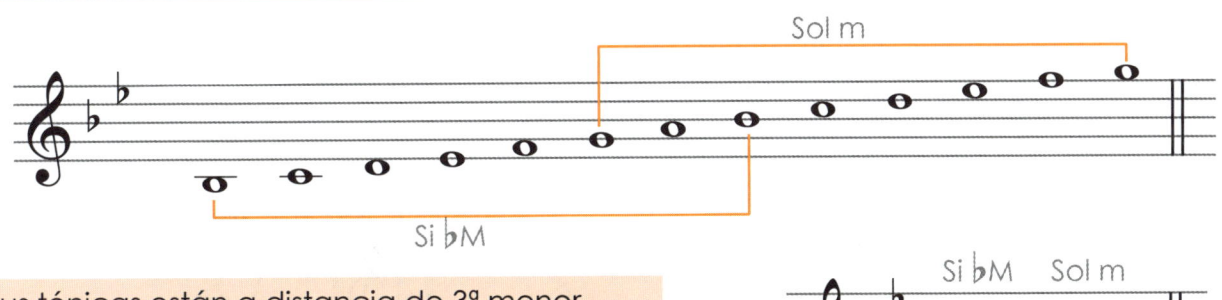

sus tónicas están a distancia de 3ª menor.

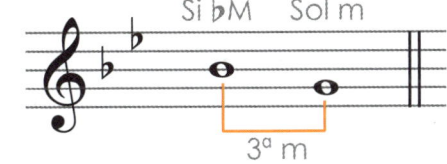

Homónimas Sol Mayor y Sol menor.
Sol Mayor y Sol menor son tonalidades homónimas: tienen la misma tónica, pero modalidad distinta, una es mayor y la otra menor, tienen distinta armadura pero sus sonidos se diferencian únicamente en sus grados modales.

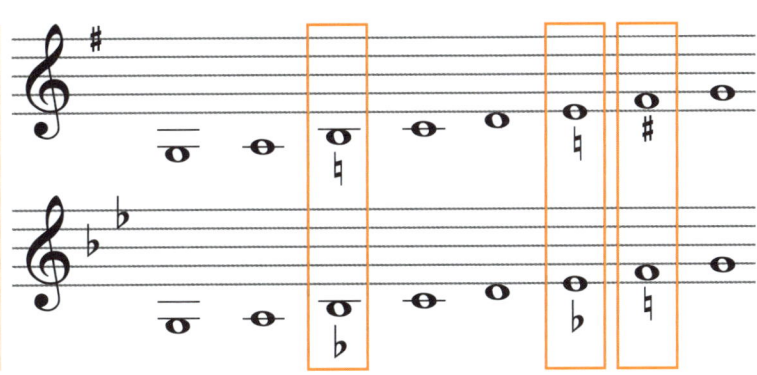

1. Contesta Verdadero o Falso.

   a. Los compases simples con denominador 8 tienen como
   unidad de subdivisión la semicorchea. ☐ V ☐ F

   b. Los compases de 3/4 y 3/8 tienen el mismo número de tiempos. ☐ V ☐ F

   c. Un tiempo de un compás de 2/8 es como un compás de 2/4. ☐ V ☐ F

   d. La corchea es la unidad de subdivisión de los compases 2/8, 3/8 y 4/8. ☐ V ☐ F

   e. La blanca completa los compases de 4/8 y de 2/4. ☐ V ☐ F

2. Completa el cuadro de estos compases.

	2/8	....	....
Nº T.		3	
Nº S.			8
U.S.	♪		
U.T.			♪
U.C.		♩.	

6

3. Escribe la escala melódica de Sol menor y señala sus grados modales.

4. Completa este cuadro.

Tonalidades homónimas			
TM	Armadura	Tm	Armadura
Sol M	....	....	....
....	....	Re m	....

Teoría

El intervalo de 5ª puede ser disminuido (D), justo (J) o aumentado (A).

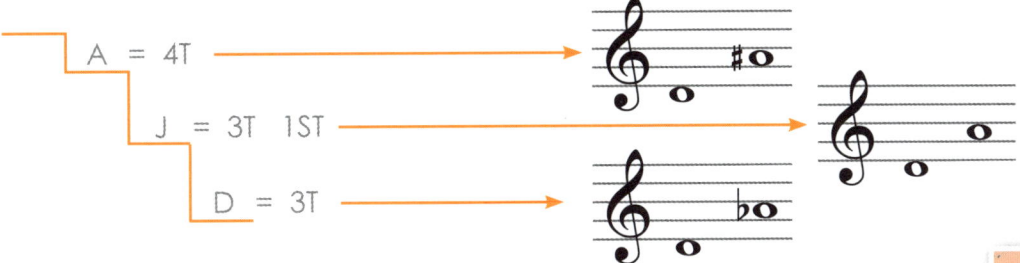

A = 4T
J = 3T 1ST
D = 3T

Recuerda:

Más términos italianos

En una partitura encontramos matices dinámicos que son los que nos indican la intensidad del sonido, y matices agógicos que son los que nos indican la velocidad de la obra.

Los matices y los movimientos no se empezaron a indicar en las partituras hasta el siglo XVII, en este siglo se indicaban en francés pero a partir del siglo XVIII con la creciente influencia italiana se adquirió la costumbre de indicarlos en italiano. Cuando una partitura carece de matices corresponde al músico suplir su ausencia.

La expresión de una frase musical puede a veces exigir que sea modificado el movimiento acelerándolo o retrasándolo, a veces un pasaje no debe ser rigurosamente medido, para ello se utilizan los matices, pero hay que tener en cuenta que todas estas observaciones deben hacerse con cuidado, para ser fieles a la idea del compositor.

6

Aquí tienes nuevos términos de expresión musical:

Affetuoso	Con afecto	Lo stesso tempo	El mismo tiempo
Affretando	Apremiando	Ma	Pero
Amabile	Amable	Malinconico	Melancólico
Animato	Animado	Morendo	Dejando apagar el sonido
Ardito	Animoso	Perdendosi	Perdiéndose
Ben	Bien	Quasi	Casi
Brioso	Con brío	Ritenuto	Reteniendo
Calando	Apagando	Senza rigore	Sin rigor
Capriccioso	Caprichoso	Senza tempo	Sin tiempo
Con anima	Con expresión	Slargando	Alargando
Con spirito	Con espíritu	Smorzando	Apagándose
Con tenerezza	Con ternura	Tempo giusto	Siguiendo estrictamente el compás
Doppio	Doble		
Giocosso	Alegre, jovial		
Incalzando	Apresurando	Un poco piú	Un poco más

1 Forma el intervalo que se indica.

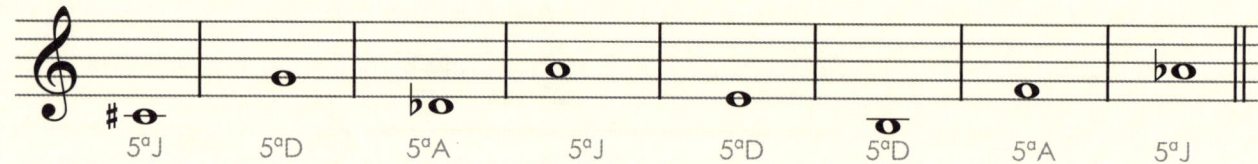

5ªJ   5ªD   5ªA   5ªJ   5ªD   5ªD   5ªA   5ªJ

2 Califica estos intervalos.

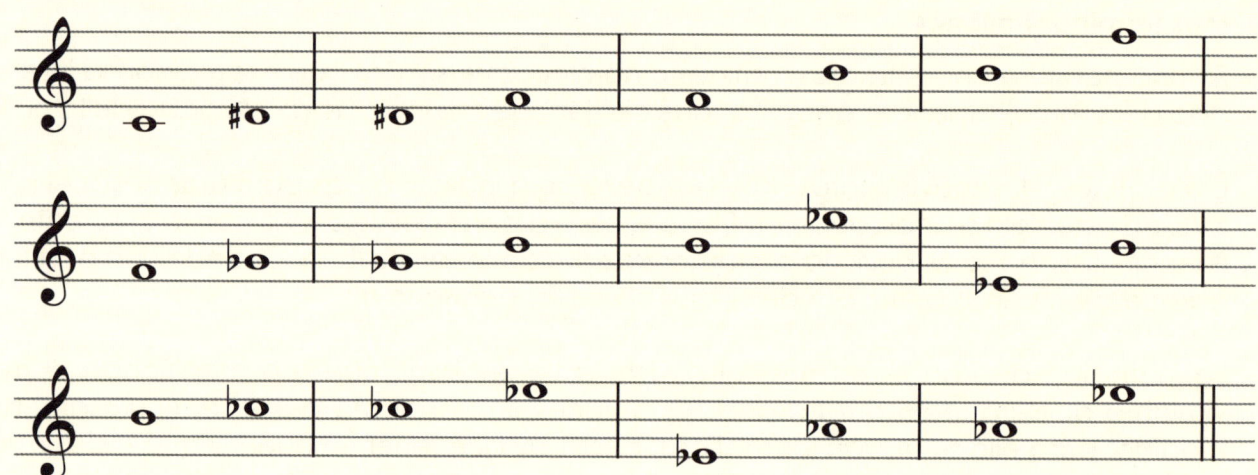

3 Completa este cuadro.

Affetuoso	
	Animoso
Calando	
Un poco piu	
	El mismo tiempo
Ma	
	Reteniendo
Smorzando	
	Caprichoso
Con tenerezza	
	Sin rigor
Con spirito	
	Doble
	Con expresión
	Alegre, jovial
Morendo	

6

Escala de La Mayor, sus grados tonales y modales. Estructura I IV V I. Si escribimos una escala mayor a partir de la nota La necesitaremos alterar con un sostenido el Fa, el Do y el Sol para respetar las distancias de tono y semitono de una escala mayor.

Esta es la armadura de La Mayor.

Sobre las notas La, Re y Mi se forman sus **grados tonales**.

Sus **grados modales** son el Do sostenido, Fa sostenido y Sol sostenido.

Estos son los acordes enlazados sobre los grados tonales de La Mayor.

La Mayor es la **escala homónima** de La menor. Observa las diferencias.

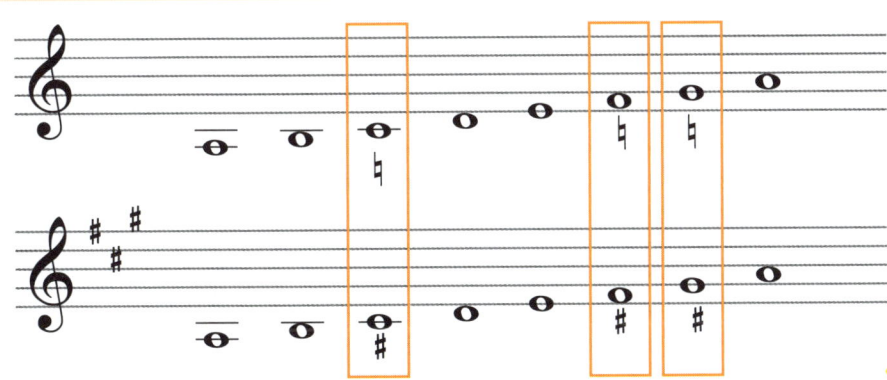

Recuerda:

Grados II y VI como subdominantes.

Cada uno de los acordes que se forma sobre cada una de las notas de una escala recibe el nombre de "Grado". Los grados se indican mediante cifras romanas. La Tónica es el primer grado de la escala.

Por el papel que desempeñan dentro del sistema tonal, todos los grados han recibido un nombre.

I TÓNICA	VI Superdominante o 6º grado
II Supertónica o 2º grado	VII ⌐ Subtónica (a distancia de tono de la tónica)
III **MEDIANTE** o 3º grado	└ **SENSIBLE** (a distancia de semi-tono de la tónica)
IV **SUBDOMINANTE**	
V **DOMINANTE**	VIII Octava o Tónica

Recuerda bien los nombres en negrita, los otros grados suelen llamarse por la cifra romana. El papel más importante es el de la **tónica**, las piezas tonales suelen empezar y terminar con ella, da sensación de **reposo**, de **estabilidad**. Le sigue la **dominante**, en contraste con la tónica suele generar **tensión**.

En el sistema tonal varios grados cumplen el papel de **subdominantes**, función interme-dia entre la tónica y la dominante y son el **IV** en primer lugar seguido del **II** y **VI**.

Compás de 2/2. Es un compás simple: binario de subdivisión binaria.
Tiene 2 tiempos, el primero fuerte y el segundo débil.
Se representa también por una C partida. Se marca como el 2/4.

7

Recuerda el significado del código numerador y denominador en compases simples:

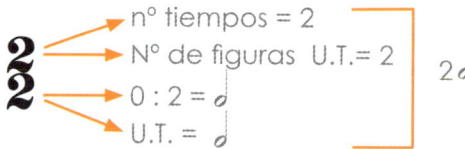

Su unidad de subdivisión es la negra ♩, la de tiempo la blanca ♩ y la de compás la redonda o.

Estas son las figuras que completan un compás de 2/2.

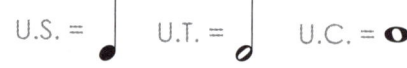

El 2/2 también puede escribirse así.

Compara estos compases.

	2/2 ¢	4/4 ¢	2/4	2/8
Nº T.	2	4	2	2
Nº S.	4	8	4	4
U.S.	♩	♪	♪	♪
U.T.	♩	♩	♩	♪
U.C.	o	o	♩	♩

1 Escribe la escala de La Mayor y su homónima. Señala las diferencias.

2 Completa el nombre de los grados.

1º	Tónica
2º	
3º	
4º	
5º	
6º	
7º	Subtónica
8º	

7

3 Señala Verdadero o Falso:

a. La armadura de La Mayor tiene tres sostenidos. ☐ V ☐ F

b. La escala homónima de La M tiene tres bemoles. ☐ V ☐ F

c. Los grados se indican con cifras romanas. ☐ V ☐ F

d. Las piezas tonales suelen empezar y terminar con la dominante. ☐ V ☐ F

e. La dominante suele generar tensión. ☐ V ☐ F

f. En el sistema tonal los grados II, IV y VI cumplen el papel de subdominantes. ☐ V ☐ F

g. El numerador en los compases simples indica la unidad de tiempo. ☐ V ☐ F

h. En el 4/4 entran las mismas figuras que en el 2/2. ☐ V ☐ F

i. La unidad de tiempo del 2/2 es la negra. ☐ V ☐ F

El intervalo de 6ª puede ser disminuido (D), menor (m), mayor (M) o aumentado (A).

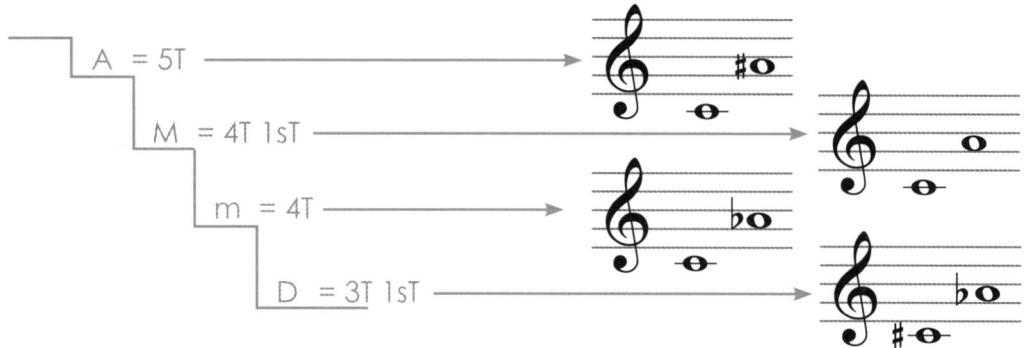

A = 5T

M = 4T 1sT

m = 4T

D = 3T 1sT

Intervalos melódicos y armónicos. Los intervalos **melódicos** son los que están formados por dos notas que suenan sucesivamente una detrás de la otra,

y los **armónicos** están formados por dos notas que suenan simultáneamente.

Consonancias y disonancias. Los intervalos armónicos según su sonoridad o la sensación de estabilidad o inestabilidad que producen se clasifican en dos grupos: **consonancias y disonancias.**

Cuando un intervalo armónico suena bien, es agradable y fácil de cantar, se clasifica dentro de las consonancias. Cuando suena mal o es difícil de cantar se clasifica dentro de las disonancias. Históricamente el concepto de consonancia y disonancia ha variado según el gusto musical de la época. Las consonancias y las disonancias crean el efecto de tensión y relajación en la música.

Las **consonancias** se clasifican en: **Perfectas**: 8ª, 5ª y 4ª justas.
                                            Imperfectas: 3ª y 6ª Mayores y menores.

Las **disonancias** se clasifican en: **Absolutas**: 2ª y 7ª Mayores y menores.
                                            Condicionales: Si al enarmonizar uno de los sonidos se convierte en consonancia.
                                            Intervalo neutro, semiconsonancia o disonancia atractiva: 4ª Aumentada y 5ª Disminuida.

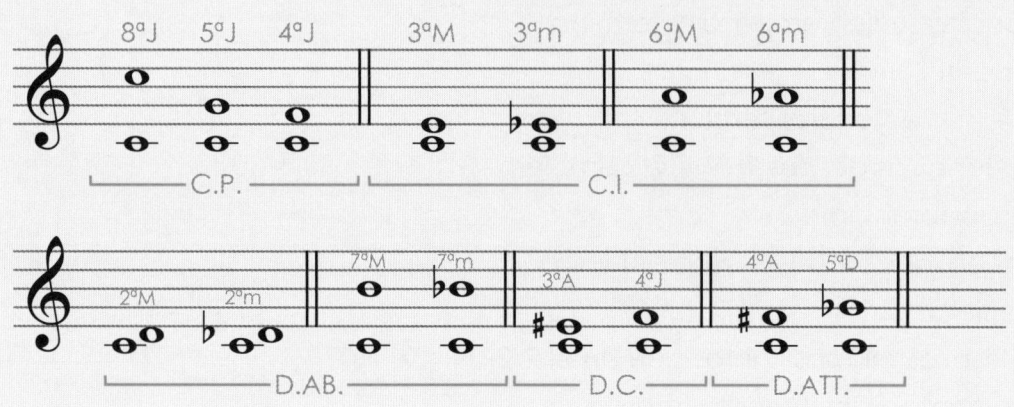

Ejercicios

1. Califica estos intervalos.

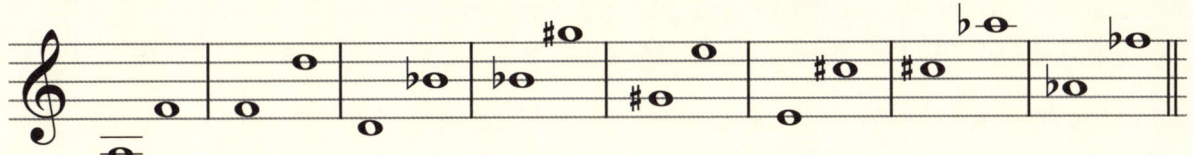

....

2. Califica estos intervalos y señala la clase de consonancia o disonancia.

....

7

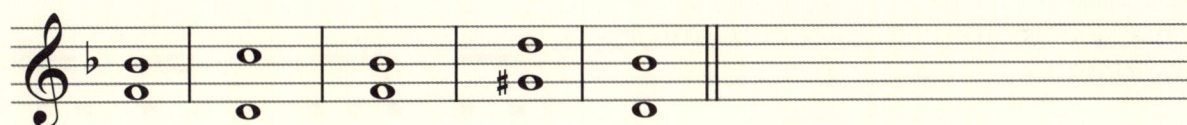

....

Compás de 3/2. Es un compás simple: ternario de subdivisión binaria. Tiene 3 tiempos, el primero fuerte y el segundo y tercero débiles. Se marca como el 3/4.

Su unidad de subdivisión es la negra ♩ la de tiempo la blanca ♩ y la de compás la redonda con puntillo 𝅝.

U.S. = ♩   U.T. = 𝅗𝅥   U.C. = 𝅝.

Estas son las figuras que completan un compás de 3/2.

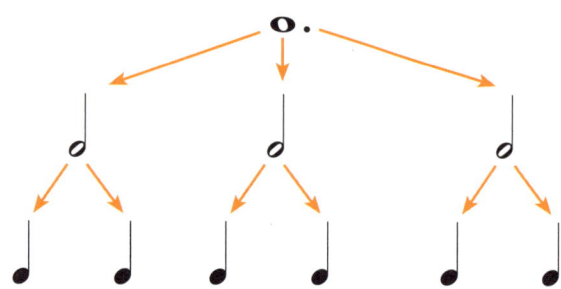

Compara el 3/2 con los compases de 3 tiempos que conoces.

	3/2	3/4	3/8
Nº T.	3	3	3
Nº S.	6	6	6
U.S.	♩	♪	♬
U.T.	𝅗𝅥	♩	♪
U.C.	𝅝.	𝅗𝅥.	♩.

Recuerda:

Los grupos irregulares son grupos de notas con un valor diferente al que corresponde al compás en el que están escritos. Ya conoces el tresillo y el dosillo.

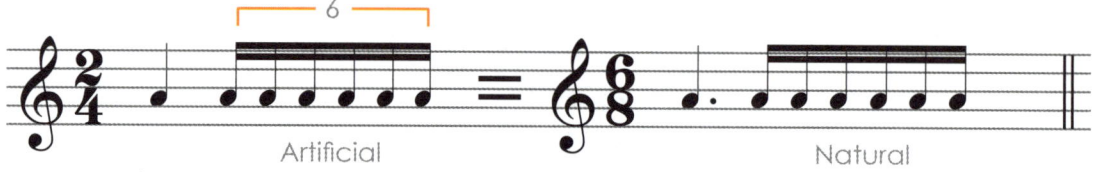

El **seisillo** es un grupo irregular de 6 figuras iguales que equivalen a cuatro de su misma clase o especie. Se escribe con un 6 sobre el grupo de figuras o en el centro del corchete.

El seisillo no es una agrupación natural en un compás simple, es como escribir un tiempo de compás compuesto en uno simple.

Artificial   Natural

El seisillo lo encontramos a veces escrito como un doble tresillo, con acentuación en la 1ª y 4ª nota,

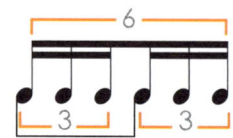

o como un desdoblamiento del tresillo, con acentuación en la 1ª, 3ª y 5ª nota.

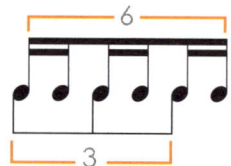

Escala de Fa sostenido menor, sus grados tonales y modales. Estructura I IV V I.

Si escribimos una escala menor a partir de la nota Fa sostenido necesitamos alterar el Fa, el Do y el Sol con un sostenido para que los semitonos se encuentren entre la 2ª y 3ª nota de la escala y entre la 5ª y 6ª nota. A la derecha puedes ver su armadura.

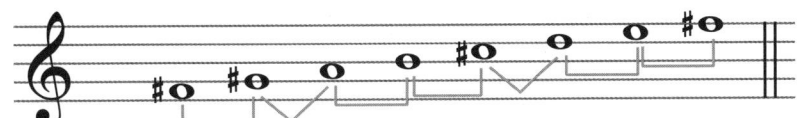

Recuerda:

Para formar una **escala armónica** alteramos el 7° grado subiendo un semitono.

Y para formar la **escala melódica** alteramos el 6° y el 7° solo en el sentido ascendente de la escala.

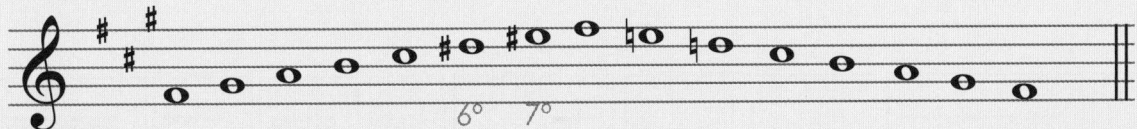

Sobre las notas Fa sostenido, Si y Do sostenido (I, IV y V) se forman sus **grados tonales**.

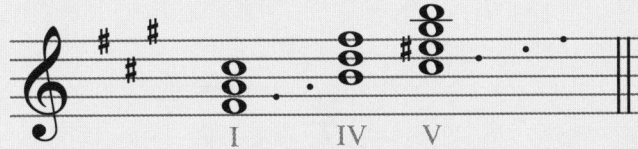

No olvides que la **sensible** es el Mi sostenido.

Sus **grados modales** recaen en las notas La, Re y Mi (III, VI y VII).

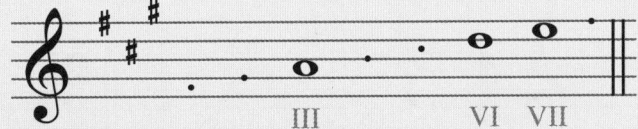

La escala de Fa sostenido menor es la **relativa** de La Mayor, tiene sus mismos sonidos y la misma armadura

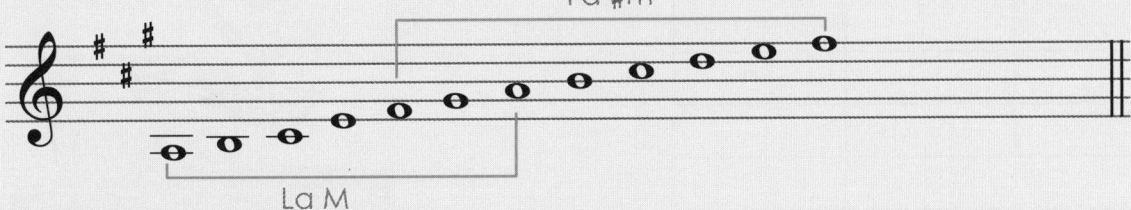

y sus tónicas están a distancia de 3ª menor.

Ejercicios

1. Escribe este mismo ritmo en 3/2 y en 3/8.

2. Une con flechas los grupos con duración equivalente.

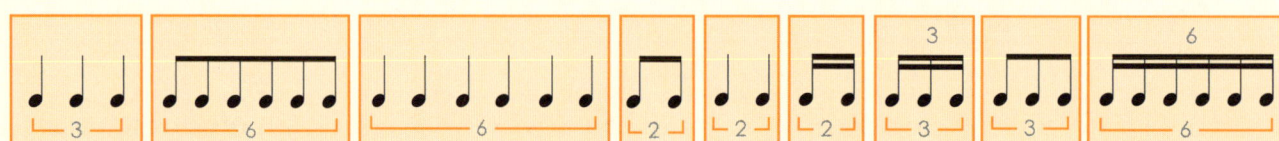

3. Completa con seisillos los tiempos que faltan.

4. Completa el cuadro de tonalidades, y une las tonalidades homónimas con flechas.

♮		La m
		Si m
	Sol M	
	Si♭ M	
		Re m
3♯		

5. Escribe la escala melódica de Fa sostenido menor. Señala la sensible.

8

El intervalo de 7ª puede ser disminuido (D), menor (m), mayor (M) o aumentado (A).

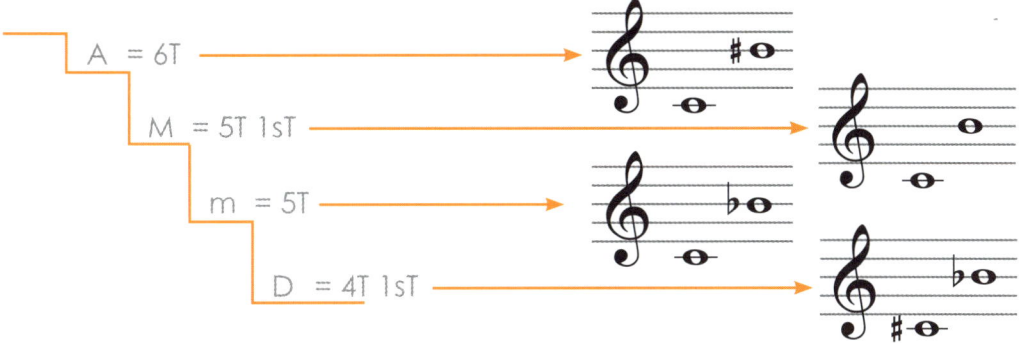

Escalas modales o modos. Notas tónica y dominante en las escalas modales. La música medieval y renacentista se basaba en el sistema modal, utilizaba las 7 escalas o "modos naturales" derivadas de cada uno de los sonidos de la escala de Do.

Estos modos también han sido utilizados en la música popular, el folclore y en composiciones del siglo XX en adelante.

Cada modo tiene una sonoridad distinta en función de la diferente colocación de tonos y semitonos dentro de la escala.

Aquí tienes los 7 modos naturales y su denominación:

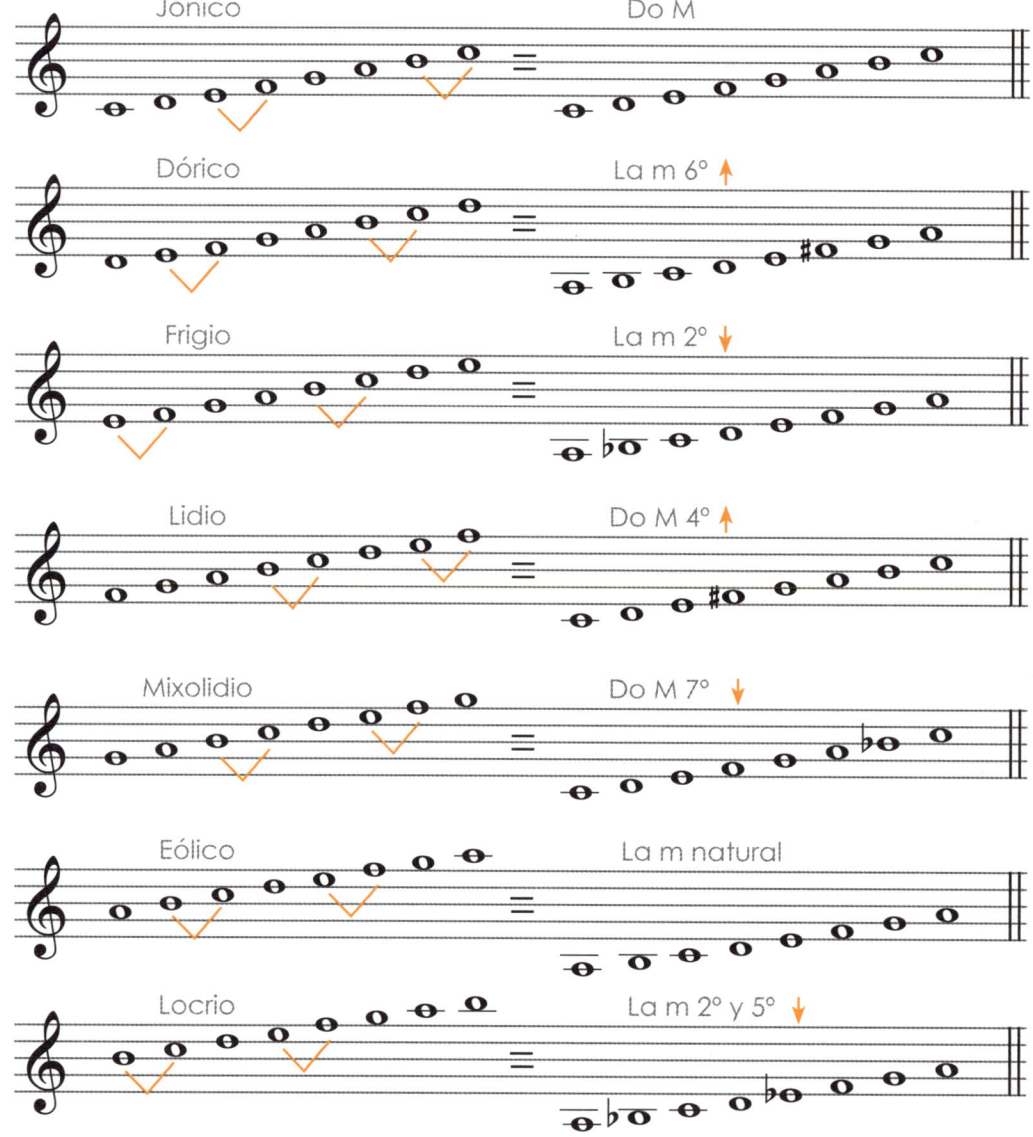

Puedes compararlos con los modos mayor y menor para ayudarte a recordarlos:

Jónico: igual a nuestro modo Mayor.
Dórico: como nuestro modo menor natural con el 6º grado elevado, considerado como el 4º tipo de escala menor.
Frigio: como nuestro modo menor con el 2º grado rebajado un semitono.
Lidio: como el modo Mayor con la 4ª nota elevada.
Mixolidio: igual al modo Mayor con la 7ª nota rebajada.
Eólico: igual a nuestra modo menor natural.
Locrio: como nuestro modo menor con la 2ª y 5ª nota rebajadas.

Para construir una escala modal hay que partir siempre de las escalas mayores y menores que ya conoces. El modo dórico se forma desde la segunda nota de una escala mayor, construir la escala dórica de Sol es pensar en Fa mayor, empezar la escala en la nota Sol y poner las alteraciones de Fa mayor.

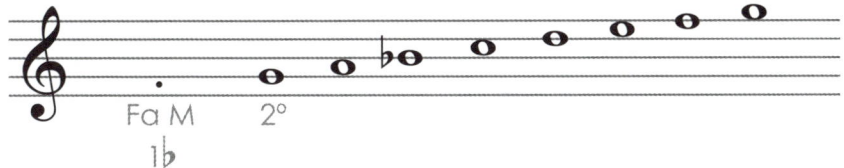

Para construir una escala frigia hemos de tener en cuenta que ésta se forma sobre la 3ª nota de una escala mayor, por lo tanto si queremos construir la escala frigia de Si deberemos empezar por la nota Si y pensar en las alteraciones de Sol mayor.

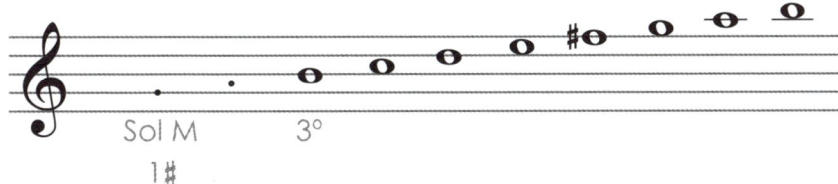

La **tónica** en las escalas modales es la nota donde reposa el discurso melódico mientras que la **dominante** es la nota que provoca tensión en el mismo.

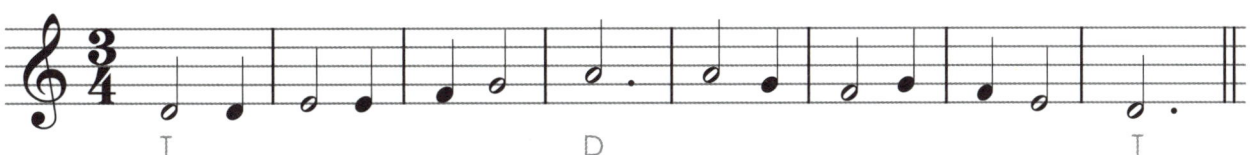

Cadencia andaluza. Recuerda: una cadencia es como el punto final de una frase. La cadencia andaluza aparece en el folclore andaluz. Es una sucesión descendente de los grados I, VII, VI y V en el modo menor. Observa esta canción.

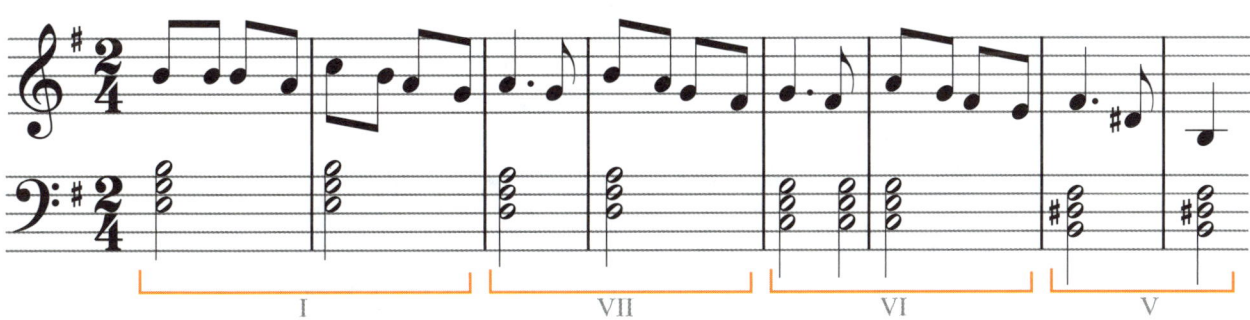

1. Clasifica estos intervalos.

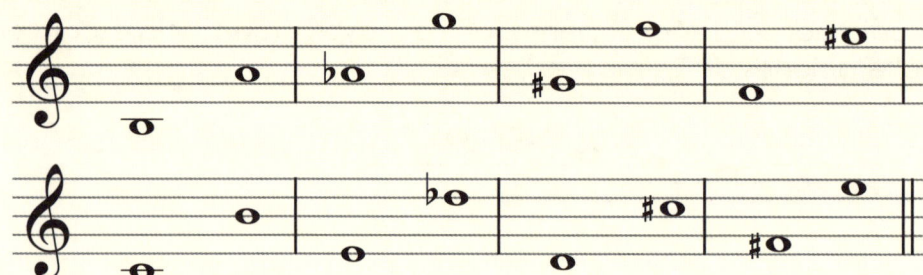

2. Forma el intervalo que se indica.

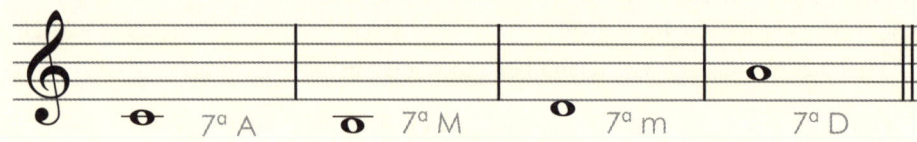

7ª A   7ª M   7ª m   7ª D

3. Escribe la escala dórica de La.

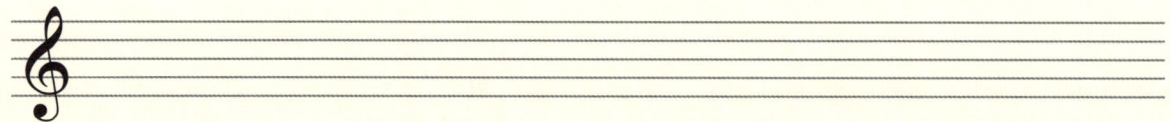

8

4. ¿En qué escala modal está basado este fragmento? ¿Cuál sería su tónica?

Compás de 4/2. Es un compás simple: cuaternario de subdivisión binaria. Tiene 4 tiempos, el primero y tercero fuertes y el segundo y cuarto débiles.
Se marca como el 4/4.
Su unidad de subdivisión es la negra ♩, la de tiempo es la blanca ♩ y la de compás la cuadrada ▭ .

U.S. = ♩   U.T. = ♩   U.C. = ▭

Estas son las figuras que completan un compás de 4/2.

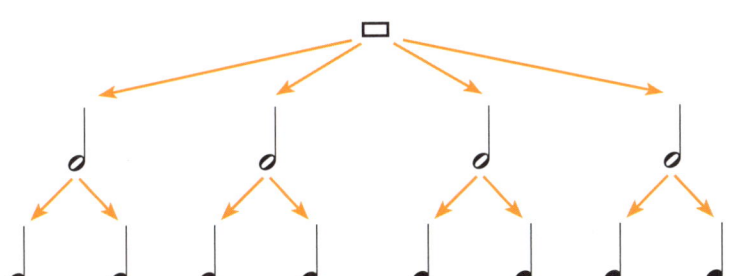

El 4/2 también puede escribirse así.

Compara el 4/2 con estos compases que ya conoces.

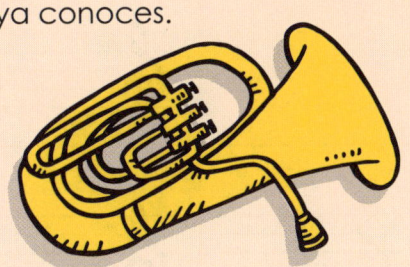

	4/2	4/4	4/8
Nº de Tiempos	4	4	4
Nº de Subdivisiones	8	8	8
Unidad de Subdivisión	♩	♪	♪
Unidad de Tiempo	♩	♩	♪
Unidad de Compás	▭	𝅝	♩

9

Escala de Mi bemol Mayor, sus grados tonales y modales. Estructura I IV V I. Si escribimos una escala mayor a partir de la nota Mi bemol necesitaremos alterar con un bemol las notas Si, Mi y La para respetar las distancias de tono y semitono de una escala mayor.

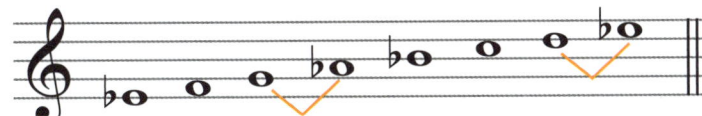

Esta es la armadura de Mi bemol Mayor.

Sobre las notas Mi bemol, La bemol y Si bemol recaen sus **grados tonales**.

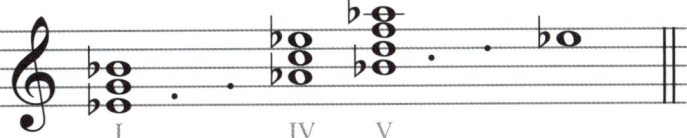

Sus **grados modales** son el Sol, Do y Re, III, VI y VII grado. Observa que en una escala mayor entre la tónica y el tercer grado siempre hay una distancia de 3ª Mayor.

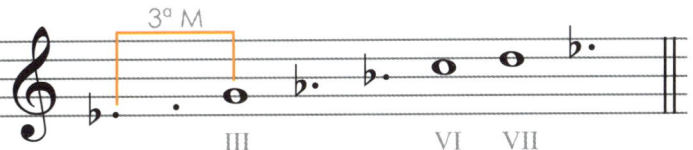

Aquí tienes los acordes enlazados sobre los **grados tonales** de Mi bemol Mayor.

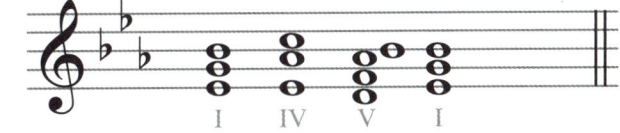

Teoría

El intervalo de 8ª puede ser disminuido (D), justo (J) o aumentado (A).

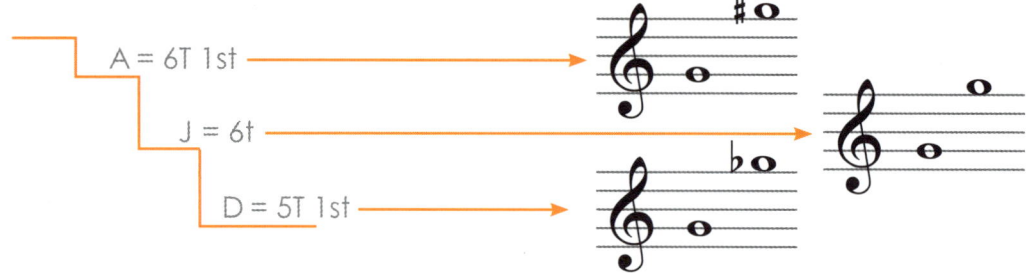

Con los intervalos de 8ª completamos el cuadro de todos los **intervalos simples:**

	A	M	m	J	D
2ª	1T ,1st	1T	1st		0 st
3ª	2T ,1st	2T	1T ,1st		1T
4ª	3T			2T ,1st	2T
5ª	4T			3T ,1st	3T
6ª	5T	4T ,1st	4T		3T ,1st
7ª	6T	5T ,1st	5T		4T ,1st
8ª	6T ,1st			(6T) 5T ,2st	5T ,1st

9

1. Completa este cuadro de compases.

	2/8	3/4	4/2
Nº T.	2		
Nº S.		6	
U.S.			♩
U.T.	♪		
U.C.		♩.	

2. Escribe la escala de Mi bemol Mayor. Señala sus grados modales.

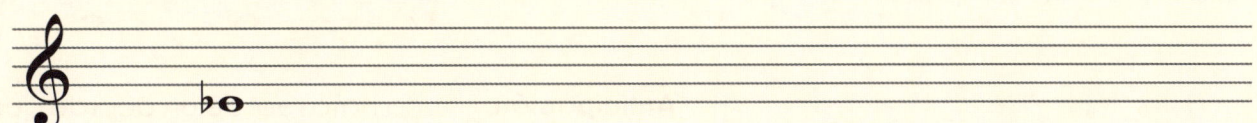

3. ¿Qué distancia hay entre la tónica y el 3º grado de una escala mayor?

....

....

9

4. Clasifica estos intervalos.

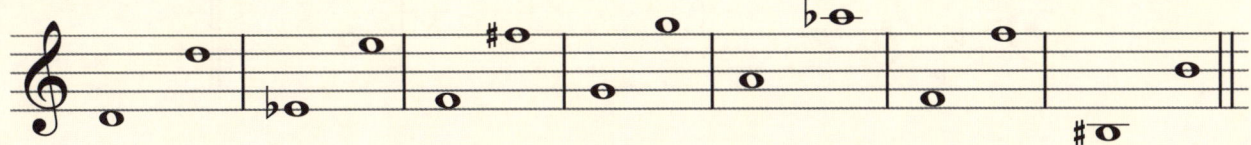

....

5. Forma el intervalo que se indica.

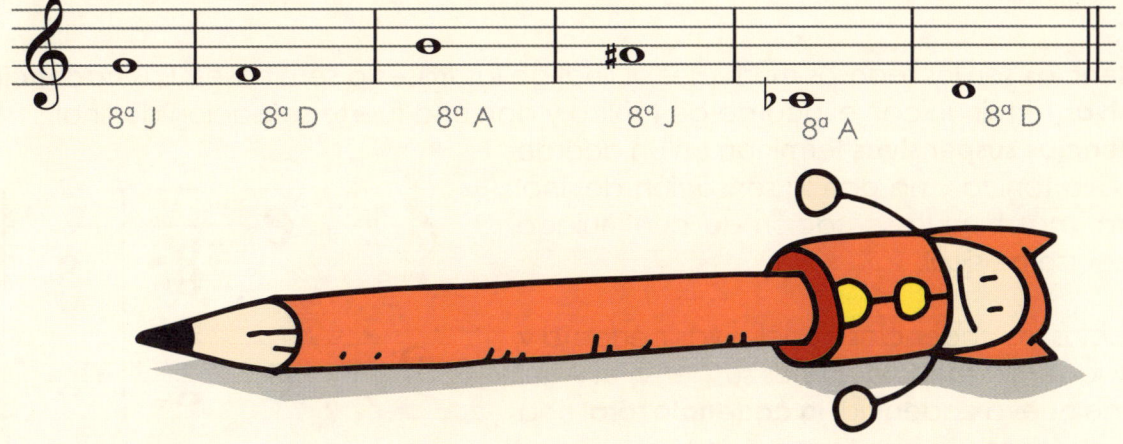

8ª J   8ª D   8ª A   8ª J   8ª A   8ª D

Teoría

Recuerda:

Nota de Paso, Floreo, Apoyatura, Anticipación y Retardo.
Vamos a repasar las notas extrañas al acorde que conoces:

Nota de paso: une dos notas reales próximas.

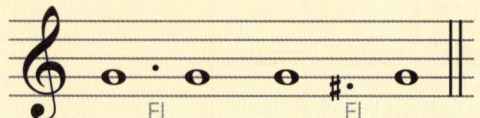

Floreo: se escribe entre dos notas reales iguales, a distancia de 2ª superior o inferior.

Apoyatura: se escribe delante de una nota real, a distancia de 2ª superior o inferior.

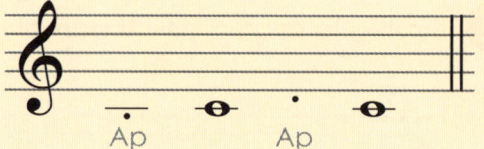

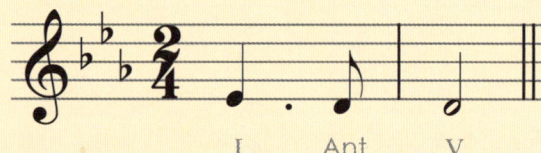

Anticipación: es una nota real de un acorde que aparece también en el acorde anterior, no siendo nota real en éste.

Retardo: es una nota del primer acorde que se alarga después de la caída del segundo.

Cadencias conclusivas y suspensivas.
Cadencia rota.

Observa este cuadro.

Cadencias conclusivas	Cadencia perfecta V-I
	Cadencia plagal IV-I
Cadencias suspensivas	Cadencia rota V-VI
	Semicadencia V

Las **cadencias** son los reposos musicales al final de las frases o semifrases. Las **cadencias conclusivas** terminan con el acorde de tónica y dan una fuerte sensación de final.
Las **cadencias suspensivas** terminan en un acorde distinto a la tónica y no dan la sensación de final tan clara, más bien la sensación de continuidad en el discurso musical.

Ya conocías las cadencias conclusivas perfecta y plagal y la semicadencia que es suspensiva. Aquí tienes una nueva cadencia, **la cadencia rota**, una cadencia suspensiva que termina en V-VI.

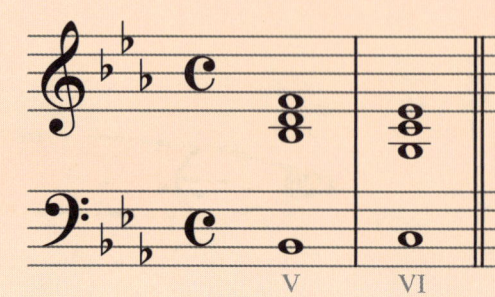

impromptu✓

1 Señala las notas extrañas: NP, Fl, Ap, Ant o Ret.

2 ¿Cómo se llama la nota del primer acorde que se alarga después de la caída del segundo?¿Anticipación o Retardo?

....

3 Completa el cuadro de cadencias.

Cadencias	....	V-I
....	Cadencia plagal	....
....	....	V-VI
suspensivas	Semicadencia	....

9

4 Señala Verdadero o Falso:

a. El compás de 4/2 es un compás compuesto. ☐ V ☐ F

b. La unidad de compás del 4/2 es la cuadrada. ☐ V ☐ F

c. La 8ª justa tiene 5 tonos y 2 semitonos. ☐ V ☐ F

d. La escala de Mi bemol Mayor tiene 2 bemoles en la armadura. ☐ V ☐ F

e. Los grados tonales de Mi bemol Mayor son Mi bemol, La bemol y Si bemol. ☐ V ☐ F

f. Los grados modales de Mi bemol Mayor son Sol, Do y Re. ☐ V ☐ F

g. El floreo se escribe entre dos notas reales distintas. ☐ V ☐ F

h. La apoyatura se escribe a distancia de 2ª superior o inferior de la nota real. ☐ V ☐ F

i. La cadencia perfecta es suspensiva. ☐ V ☐ F

j. La semicadencia termina en el grado V. ☐ V ☐ F

Cuatrillo. El cuatrillo es un grupo irregular de 4 figuras iguales que equivalen a seis de su misma clase o especie. Se escribe con un 4 en el centro del corchete que las abarca.

El cuatrillo no es una agrupación natural en un compás compuesto, es como escribir un tiempo de compás simple en uno compuesto, sustituyendo un pulso ternario por uno binario.

Artificial   Natural

Recuerda:

Una agrupación natural en un compás simple es artificial o irregular en un compás compuesto y lo mismo sucede a la inversa.

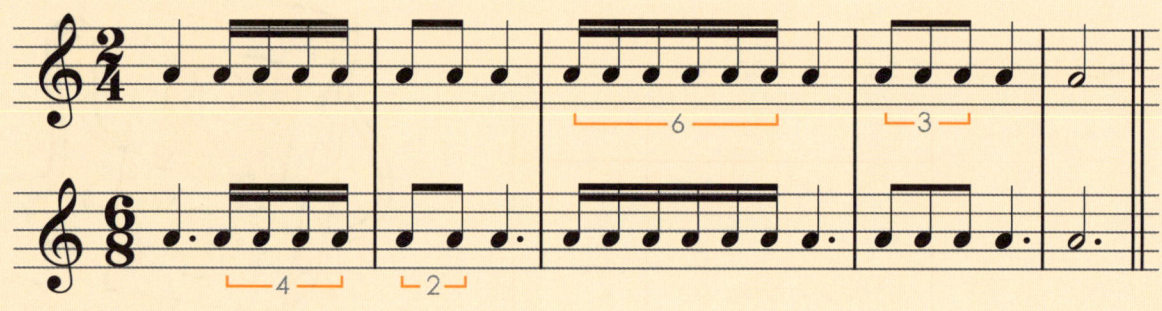

La fusa y su silencio. La fusa es una figura que dura la mitad de la semicorchea, o sea la octava parte de una negra.

Las fusas pueden escribirse unidas con triple barra o sueltas con triple corchete. Su silencio tiene la misma duración.

Escala de Do menor, sus grados tonales y modales. Estructura I IV V I.
Si escribimos una escala menor a partir de la nota Do necesitamos alterar el Si, el Mi y el La con un bemol, para respetar las distancias de tono y semitono de una escala menor.

Esta es la armadura de Do menor.

Para formar la **escala armónica** de Do menor alteramos el 7° grado.

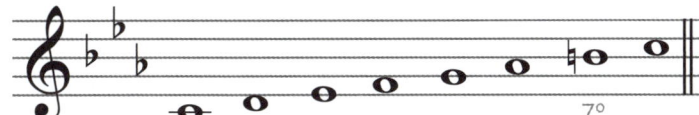

y para formar la **escala melódica** alteramos el 6° y el 7° grados en sentido ascendente.

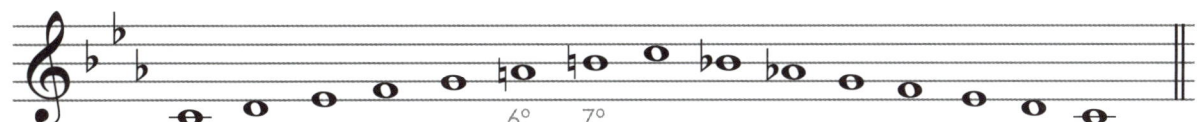

Sobre las notas Do, Fa y Sol (I, IV y V) se forman sus **grados tonales**.

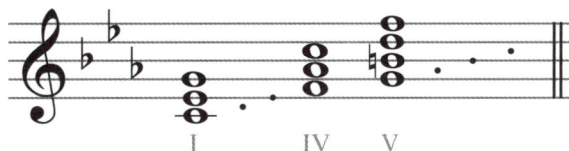

Como hemos visto el **acorde de dominante** siempre se forma con los mismo intervalos: 3ª M, 3ª m y 3ª m tanto en el modo mayor como menor, es por ello que el Si necesita la alteración de un becuadro por ser la **sensible**.

Sobre las notas Mi bemol, La bemol y Si bemol recaen sus **grados modales**.

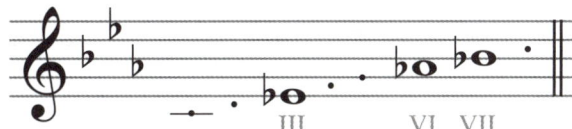

La **tonalidad relativa** de Do menor es Mi bemol Mayor, ya que tienen la misma armadura, comparten los mismos sonidos y sus tónicas están a distancia de 3ª menor.

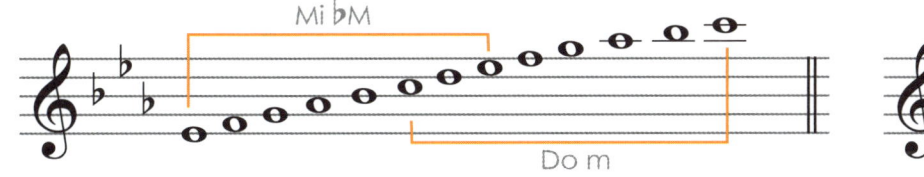

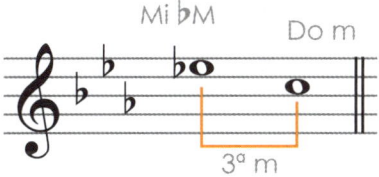

Observa:

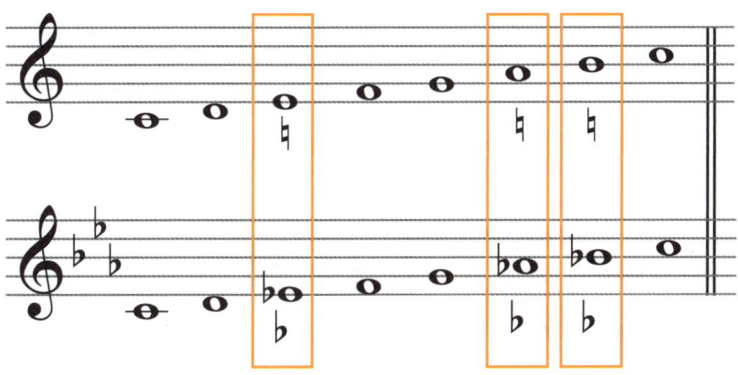

Do Mayor y Do menor son **tonalidades homónimas**, tienen la misma tónica, pero modalidad distinta, una mayor y la otra menor. Tienen distinta armadura pero sus sonidos se diferencian únicamente en sus grados modales.

1. Escribe este mismo ritmo en 2/4.

2. Escribe las figuras correspondientes hasta reducir a una negra.

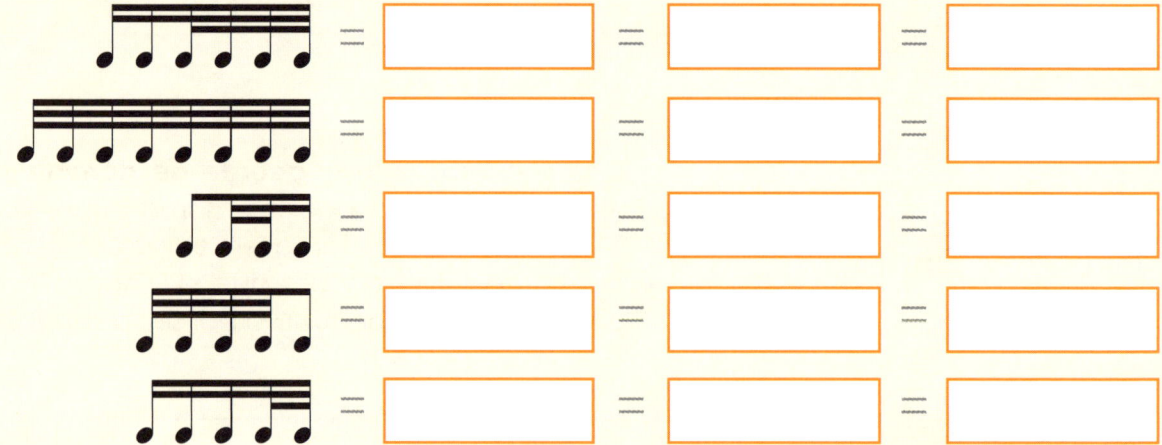

10

3. Escribe la escala melódica de Do menor. Señala los grados tonales rodeándolos con un círculo.

4. Escribe la escala de Do menor natural y su homónima. ¿En qué se diferencian?

Inversión de intervalos.

Invertir un intervalo es cambiar el orden de sus sonidos cambiando de 8ª una de sus notas. El sonido más grave pasará a ser el más agudo y a la inversa.

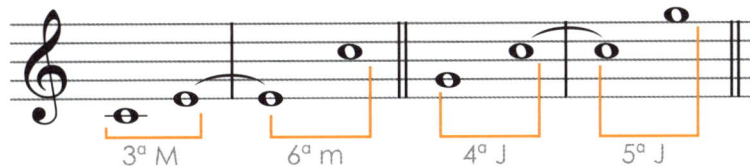

Cuando invertimos un intervalo su clasificación cambia en número y en especie. La suma de ambos intervalos siempre da 9. Los intervalos al invertir se comportan de la siguiente manera:

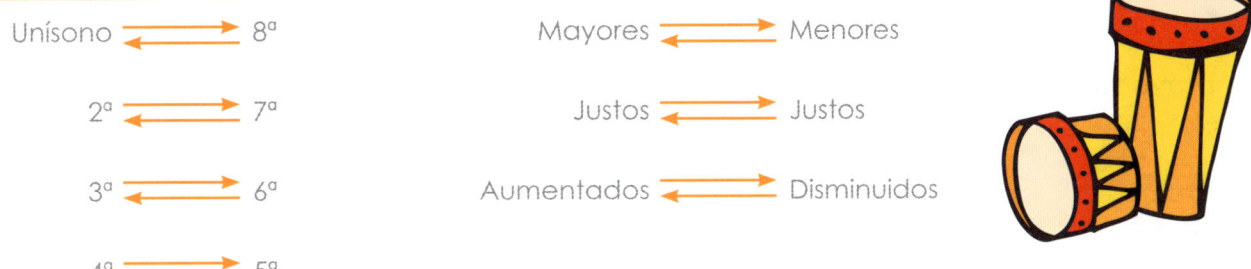

Unísono ⟷ 8ª

2ª ⟷ 7ª

3ª ⟷ 6ª

4ª ⟷ 5ª

Mayores ⟷ Menores

Justos ⟷ Justos

Aumentados ⟷ Disminuidos

Recuerda:

10

Términos de articulación y acentuación.

Con los términos de **articulación y acentuación** nos referimos a la diferente manera de ejecutar los sonidos al cantar o tocar un instrumento. Ya conoces y has practicado algunos de ellos. Vamos a enumerar y recordarlos:

Ligado o ligadura de expresión. Las notas que abarca esta ligadura deben ejecutarse sin que el sonido se corte.

Cuando esta ligadura abarca solo dos notas debe interpretarse resaltando la primera y acortando la segunda.

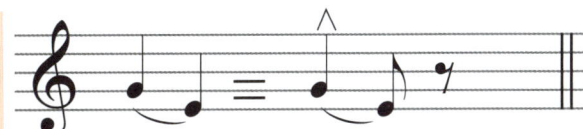

Según el instrumento, la ligadura se realiza de forma diferente; en la voz y en los instrumentos de viento hay que inspirar el aire suficiente para que el sonido no se corte, en los instrumentos de arco sin cambiar la dirección del arco, en el teclado sin levantar la tecla antes de pulsar la siguiente, etc.

Picado. Acorta la duración de las figuras reduciendo su valor aproximadamente a la mitad, interpretándolas por separado.

Staccato (ᴧ). Es más corto que el picado, la duración se reduce a una cuarta parte de su valor.

Picado-ligado. Acortando ligeramente los sonidos, manteniendo la intención de ligar la frase. Acorta más o menos una cuarta parte de la duración de la nota.

Subrayado. Es una raya horizontal colocada encima o debajo de la nota, se debe interpretar destacando la nota, apoyando el sonido y manteniendo toda su duración.

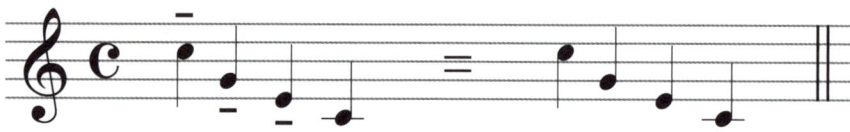

Subrayado-ligado. Apoyando el sonido y manteniendo la intención de ligar la frase.

Subrayado-picado. Apoyando un poco la nota y separándola de la siguiente.

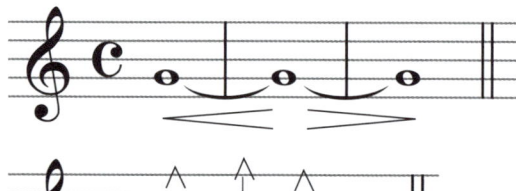

Filado. Se interpreta aumentando y disminuyendo la intensidad del sonido, se coloca sobre notas largas.

Acento simple. Ángulo con el vértice en su parte superior (∧), se acentúa el sonido.

Sforzando. Ángulo abierto por su lado izquierdo (>), la nota se ataca con mayor intensidad y disminuye progresivamente.

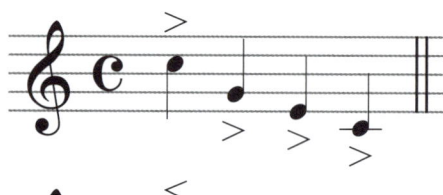

Contraesforzando. Ángulo abierto por su lado derecho (<), la nota se ataca suavemente aumentando progresivamente su intensidad.

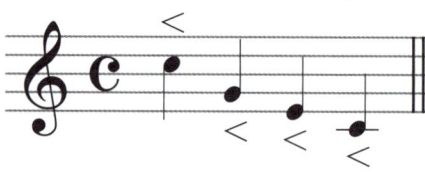

No todos los instrumentos pueden realizar estos acentos, por lo que se suelen utilizar los tres indistintamente como un único acento.

Términos de acentuación. Aquí te mostramos otros términos comunes:

fp – fuerte la 1ª nota, piano la siguiente.
pf – piano la 1ª, fuerte la siguiente.
marcato – marcado destacando las notas.
pesante – pesado.
rinforzando – reforzando el pasaje o la nota a la que afecta.
sfz – dando repentinamente más fuerza, subiendo un grado en la escala de matices de pp a p y de f a ff.
sostenuto – bien sostenido el sonido.
tenuto – reteniendo el sonido.

Repeticiones y abreviaciones, repetición de compases enteros.
Los signos de abreviación se utilizan para facilitar o acortar la escritura de fragmentos en los que se repite un mismo ritmo.

Este signo ⁄. indica repetición de compás completo, debe interpretarse de nuevo el compás anterior.

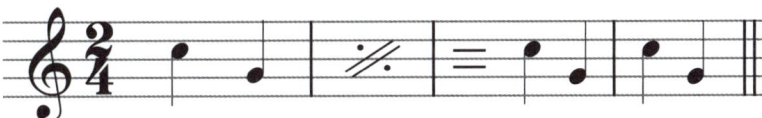

Si el signo está colocado entre 2 compases indica que deben repetirse los 2 últimos compases que lo preceden.

1 Califica e invierte estos intervalos.

2 Completa estas frases.

a. El ligado debe ejecutarse sin que el sonido ….....................

b. El picado reduce…....................la ….............. de su valor.

c. El staccato es ….................... que el picado.

d. El subrayado se debe interpretar…........... la nota y ….................. su duración.

e. El sforzando se ataca…....................y se…....................... después.

f. El contraesforzando se ataca…..................... y se…..................... la intensidad.

3 Escribe la interpretación de estos signos.

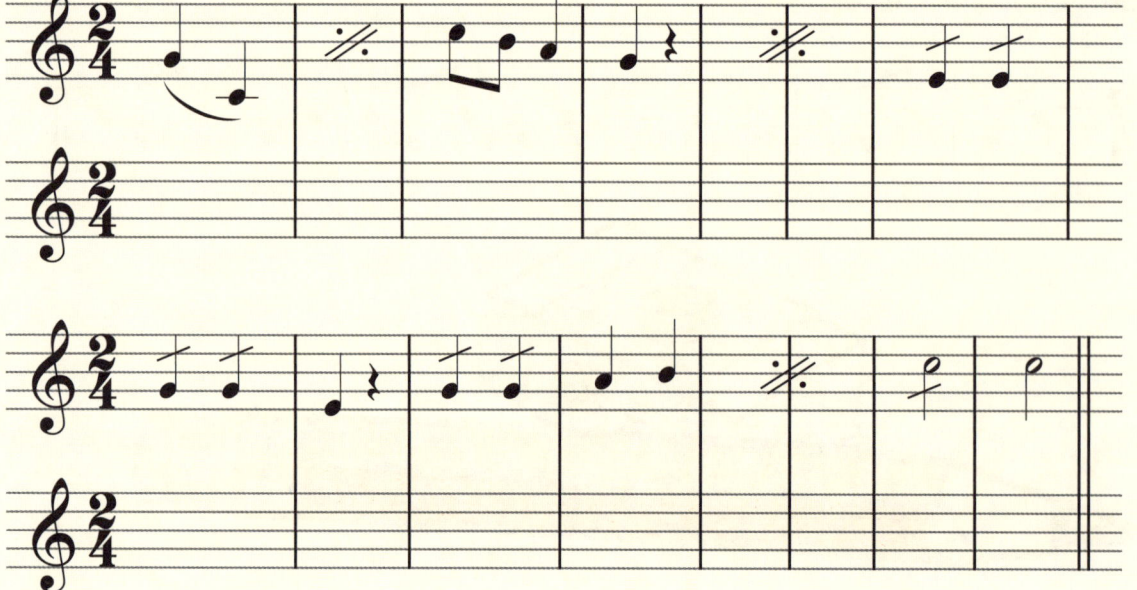

Grupos de valoración especial irregulares: dosillo, tresillo, cuatrillo y seisillo.

Los grupos irregulares pueden dividirse en figuras más pequeñas, agruparse en figuras más grandes o sustituir cualquiera de sus notas por silencios.

Dentro de esta división también puede haber otros grupos irregulares y su equivalencia será siempre la misma.

Grupos excedentes y deficientes.

Los grupos irregulares se dividen en **excedentes**: cuando es mayor el valor o el número de figuras que el de su equivalencia, y **deficientes**: cuando es menor el valor o número de figuras que el de su equivalencia.

  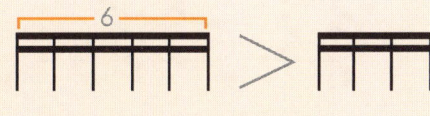

El cuatrillo es como un doble dosillo y el seisillo como un doble tresillo.

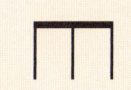

Recuerda:

Síncopas y contratiempos regulares e irregulares.

Una **síncopa** es una figura que empieza en tiempo o parte débil y se prolonga a tiempo o parte fuerte. Cambia el acento normal del compás.

Una **nota a contratiempo** es una figura situada en tiempo o parte débil y precedida de un silencio en tiempo o parte fuerte. También cambia el acento del compás.

Tanto las síncopas como las notas a contratiempo se clasifican según su duración en:

Muy largas: 4 tiempos

Largas: 2 tiempos

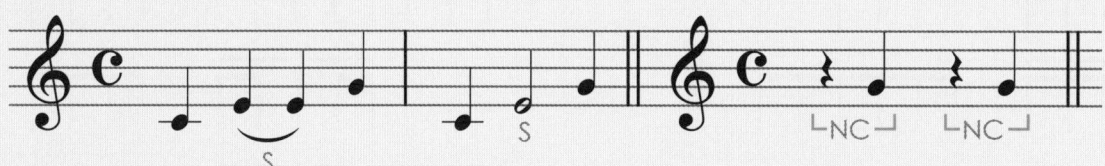

Breves: 1 tiempo

Muy breves: ½ tiempo

Las síncopas y las notas a contratiempo se pueden clasificar también en **regulares** cuando podemos dividir la síncopa en dos figuras iguales. Como ves la negra puede dividirse en dos corcheas,

y en el caso de las notas a contratiempo, cuando la nota y el silencio que le precede tienen la misma duración.

Las síncopas son **irregulares** cuando la división en figuras iguales no es posible

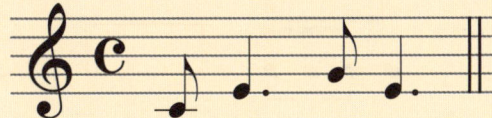

y las notas a contratiempo, cuando el silencio y la nota no tienen la misma duración.

11

Ejercicios

1 Relaciona las casillas con la misma duración.

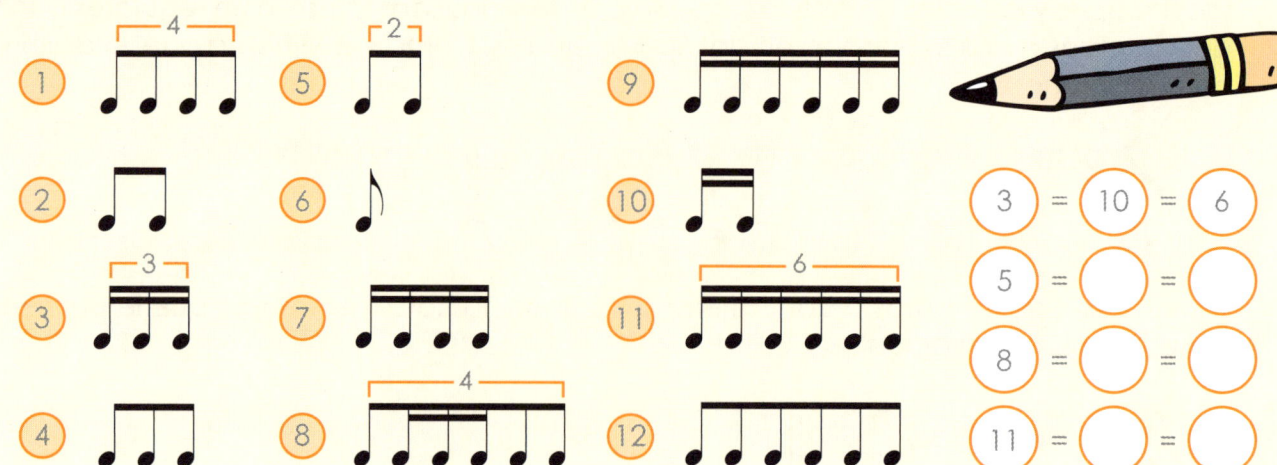

2 Escribe su equivalencia y clasifica en excedentes y deficientes.

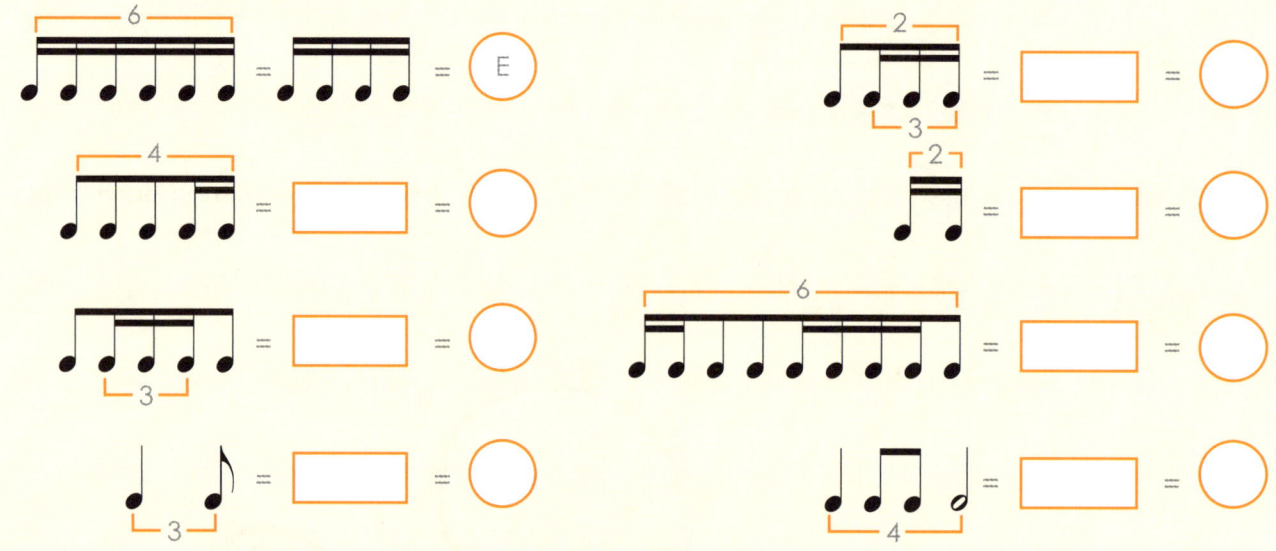

3 Señala las síncopas y notas a contratiempo breves.

4 Clasifica las síncopas y notas a contratiempo irregulares.

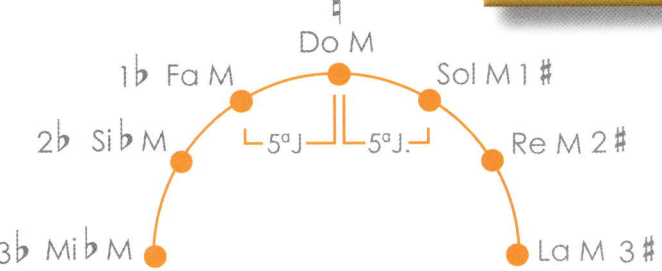

Repaso escalas mayores.

Vamos a repasar todas las tonalidades mayores que conoces:

Recuerda:

Todas las tonalidades siguen un orden de 5ª justas ascendentes hacia los sostenidos y 5ª justas descendentes hacia los bemoles.

Ya sabes que para escribir una escala mayor sólo tienes que poner las alteraciones que lleva en la armadura. Por ejemplo: la escala de Mi bemol Mayor.

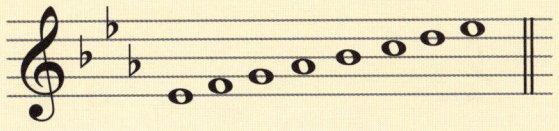

Repaso escalas menores.

Y ahora repasamos las tonalidades menores:

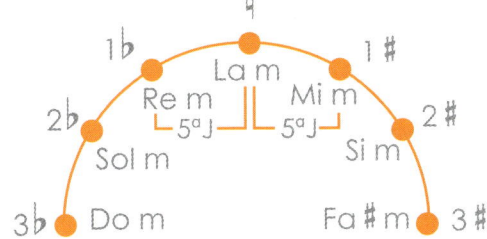

Recuerda:

Para escribir una escala menor natural sólo tienes que poner las alteraciones que lleva en la armadura. Por ejemplo: Fa sostenido menor.

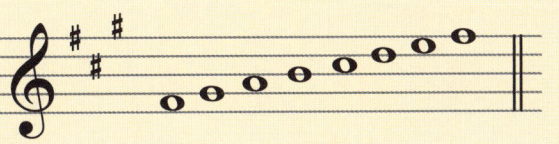

Pero conoces dos tipos más de escala menor: la **armónica** y la **melódica**. Para escribir una escala armónica basta con escribir una escala menor natural y alterar el 7° grado un semitono ascendente.

Por ejemplo: Mi menor armónica   Do menor armónica

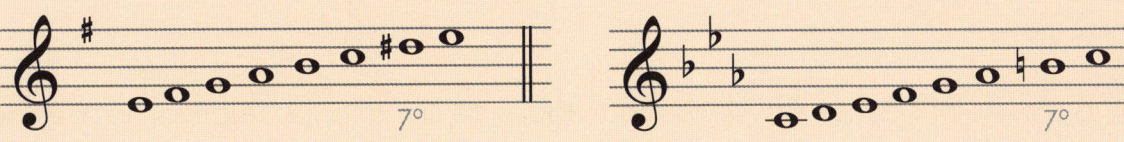

Y para escribir una escala melódica basta con escribir una escala menor natural y alterar en el sentido ascendente de la escala el 6° y el 7° grado un semitono.
Ejemplo: Si menor melódica

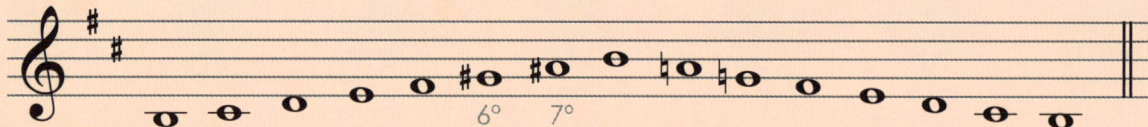

Re menor melódica.

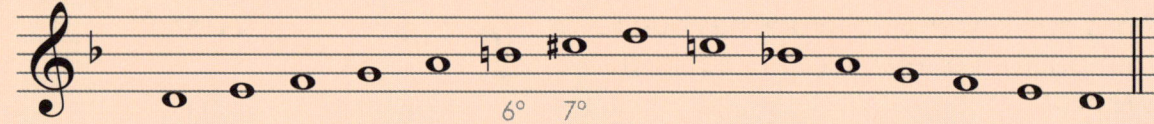

Como ves la escala melódica al descender es una escala natural.

Tonos vecinos. Llamamos tonos o tonalidades vecinas a aquellas que poseen un número suficiente de notas comunes permitiendo pasar sin dificultad de una tonalidad a otra. Son siempre tonalidades vecinas las tonalidades relativas a la de origen y las que se encuentran a distancia de 5ª justa ascendente y descendente que son además su dominante y subdominante.
Observa la rueda de tonalidades mayores y menores.

11

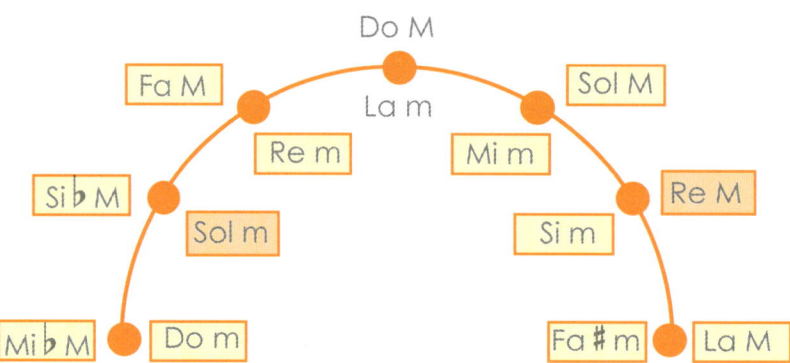

Son tonalidades vecinas de Re Mayor las tonalidades de Si menor (su relativa), las de Sol Mayor y Mi menor (5ª justa ascendente) y las de La Mayor y Fa sostenido menor. (5ª justa descendente).

Si escogiéramos la tonalidad de Sol menor, ésta tendría como tonalidades vecinas la de Si bemol Mayor (su relativa), las de Fa Mayor y Re menor (5ª justa ascendente) y las de Mi bemol Mayor y Do menor (5ª justa descendente).

1 Escribe la escala de La Mayor.

2 Escribe la escala de Do menor natural.

3 Escribe la escala de Re menor armónica.

4 Escribe la escala de Sol menor melódica.

5 Completa el cuadro de tonalidades vecinas.

2♭		
	Re m	
		V

6 Completa el cuadro de tonalidades vecinas.

♮		
	Sol M	
		Si m

11

Recuerda:

Repaso de compases dados.
Aquí tienes el cuadro de los compases simples y compuestos que conoces hasta ahora.

	Compases simples											Compases compuestos		
	U.S.	U.T.	U.C.		U.S.	U.T.	U.C.		U.S.	U.T.	U.C.	U.S.	U.T.	U.C.

Cambios de compás. Cuando hay un cambio de compás simple a compás simple o de compás compuesto a compás compuesto encontraremos indicaciones para mantener el pulso a la misma velocidad, se sitúan sobre el pentagrama a tamaño más reducido y sobre la doble barra que indica el cambio de compás.

Si el cambio es de compás simple a compás compuesto o al contrario estas mismas indicaciones significan que debemos mantener el pulso a la misma velocidad, es la duración de las notas la que varía.

Compases correspondientes. Recuerda que cada compás simple tiene su compás correspondiente compuesto y viceversa.

Para hallar el compás compuesto que corresponde a uno simple se multiplica el numerador por 3 y el denominador por 2. El compás correspondiente del 3/2 es el 9/4.

3 (x3) = 9
2 (x2) = 4

Para hallar el compás simple que corresponde a uno compuesto hay que dividir el numerador entre 3 y el denominador entre 2. El compás correspondiente del 12/8 es el 4/4.

$12 \;(:3) = 4$

$8 \;\;(:2) = 4$

Recuerda:

Repaso de los intervalos y la inversión. Vamos a recordar la tabla de intervalos.

	D	m	M	J	A
1ª				Unísono	Cromatismo
2ª					
3ª					
4ª					
5ª					
6ª					
7ª					
8ª					

Recuerda:

Entre la tónica de una escala mayor y el resto de sus grados, todos los intervalos son mayores y justos.

Y en una escala menor los intervalos entre la tónica y el resto de sus grados son menores y justos a excepción del segundo grado que es mayor.

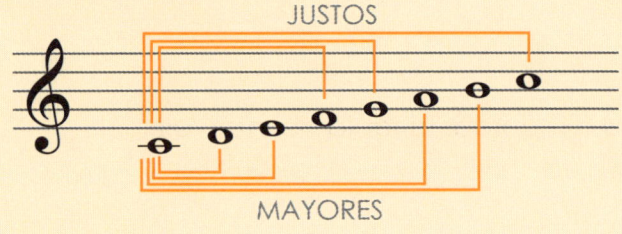

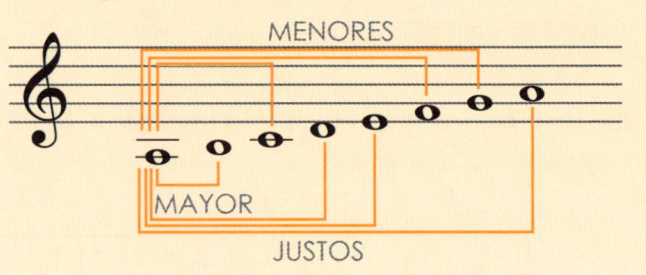

La inversión. Consiste en cambiar la altura de uno de los sonidos del intervalo de 8ª.

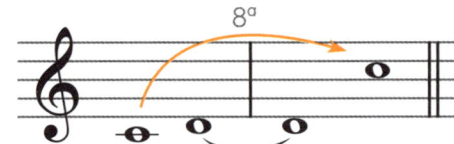

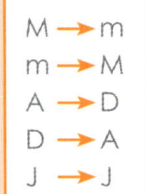

En la inversión los intervalos se comportan de la siguiente manera: intervalos mayores pasan a ser menores, los menores mayores, los aumentados disminuidos, los disminuidos aumentados y los justos siguen siendo justos.

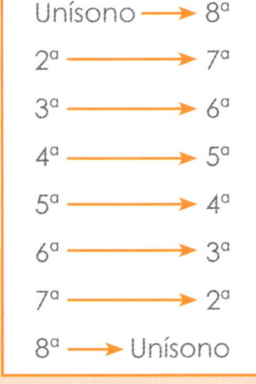

La suma de los dos intervalos siempre da 9, el unísono se convierte en 8ª, la 2ª en 7ª, la 3ª en 6ª, la 4ª en 5ª, la 5ª en 4ª, la 6ª en 3ª y la 7ª en 2ª y la 8ª en unísono.

El transporte intuitivo. Transportar una melodía consiste en reproducirla a una altura diferente a la que está escrita, respetando siempre las distancias interválicas.

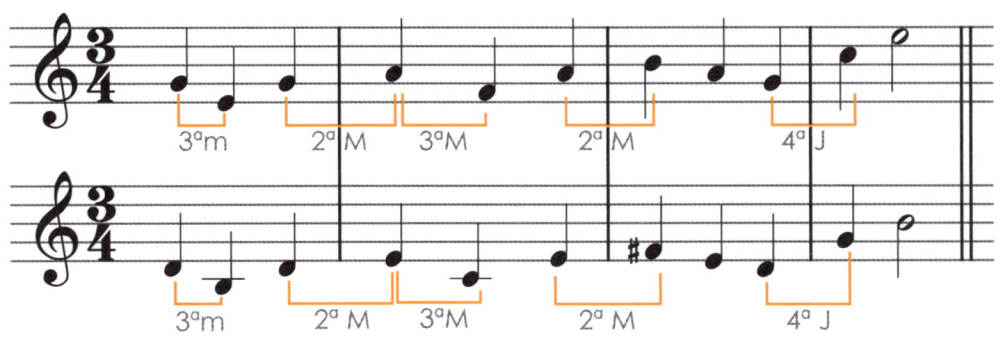

Se utiliza cuando un pasaje musical resulta demasiado alto o bajo para cierta voz o instrumento. Al cantar transportamos muchas veces intuitivamente. Cuando transportamos cambiamos de tonalidad, nunca de modalidad.

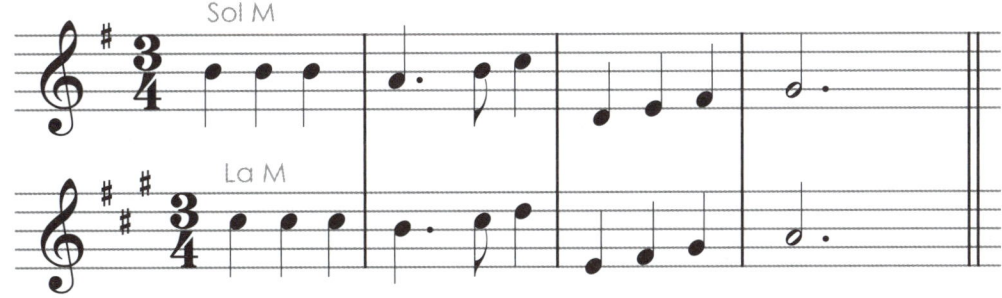

La melodía sería distinta si cambiáramos el modo.

Canta y comprueba la diferencia.

1 Completa el cuadro de compases.

	U.S.	U.T.	U.C.
3/2			
4/4			
2/8			
12/8			

2 Completa los compases correspondientes.

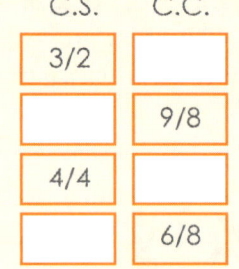

	C.S.	C.C.
	3/2	
		9/8
	4/4	
		6/8

3 Forma el intervalo detallado añadiendo las alteraciones necesarias.

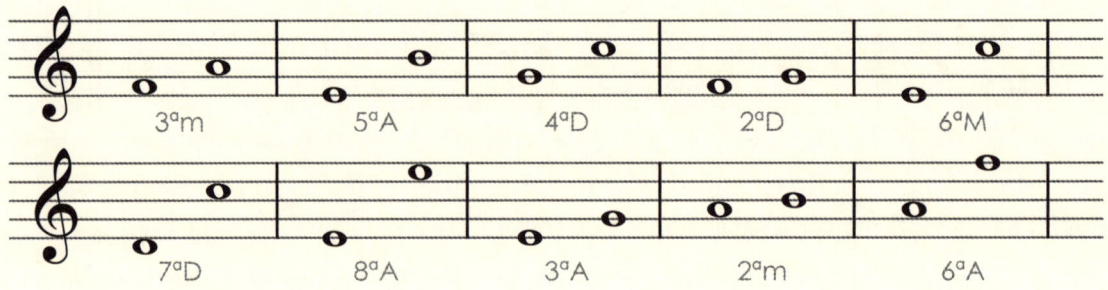

3ªm   5ªA   4ªD   2ªD   6ªM

7ªD   8ªA   3ªA   2ªm   6ªA

4 Clasifica estos intervalos e inviértelos.

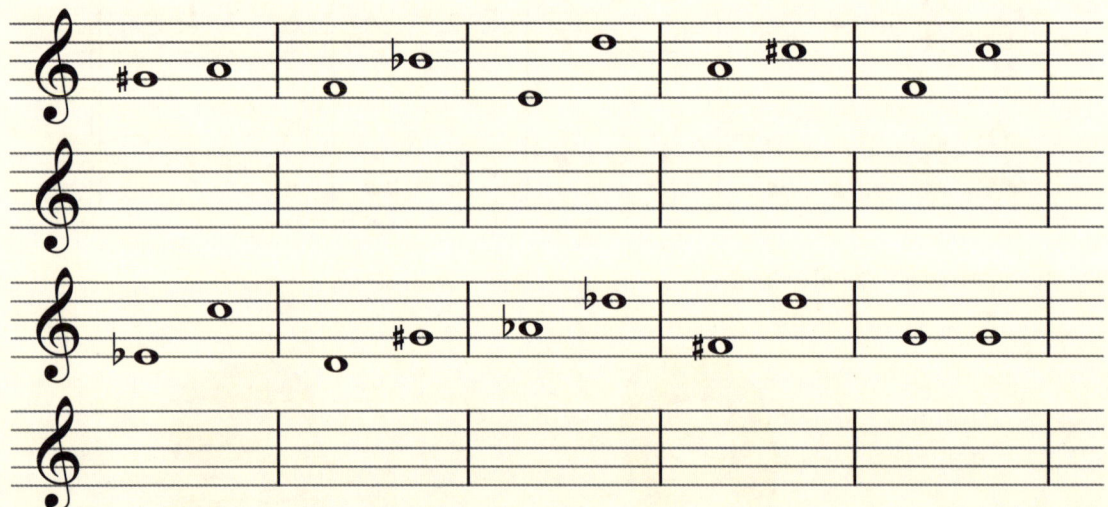

5 Transporta esta melodía, empezando con la nota Si bemol. ¿En qué tono está escrita? ¿Y a qué tono la habrás transportado?

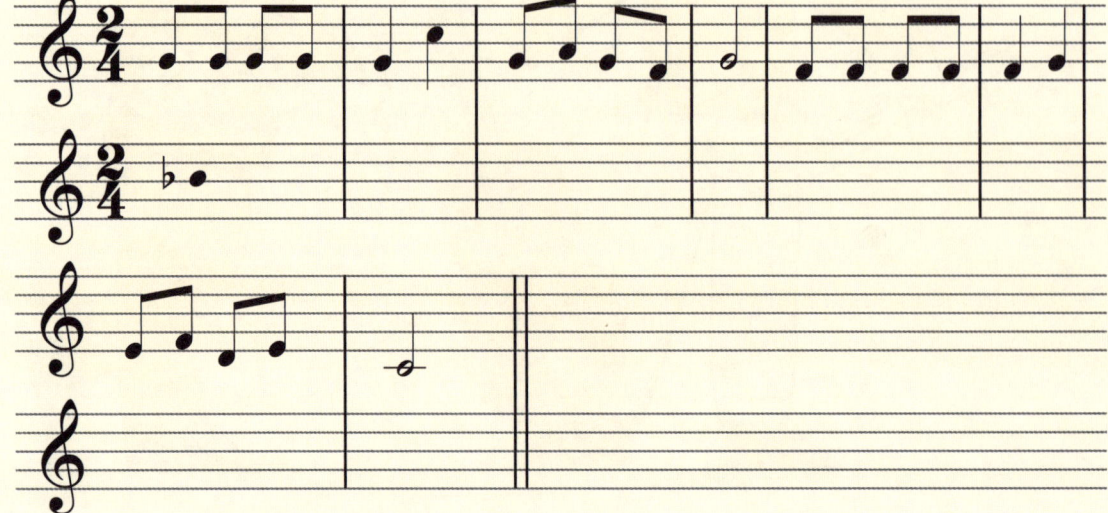

La imitación es un recurso musical que consiste en reproducir rítmica y melódicamente un diseño dado. La imitación puede respetar todos los intervalos y el ritmo del diseño (a) o no respetarlos (b).

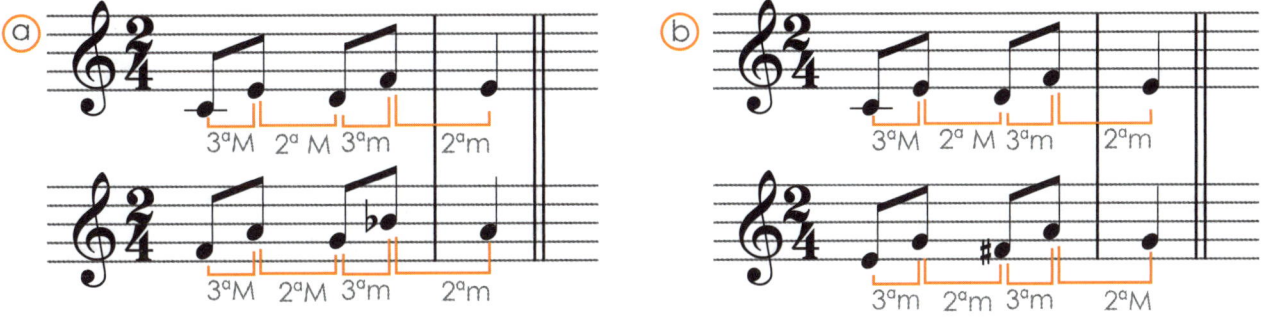

Canción o lied es una forma musical que une la música y la poesía, normalmente una melodía para voz y acompañamiento de piano.

Wenn die lieb aus dei–nen blau —— en   hel — len

off — nen Au gen   sieth

Canon es una forma musical imitativa en la que una o más voces repiten la misma melodía siempre a una misma distancia. La entrada de las distintas voces ha de indicarse. Puede ser canon a la 8ª, a la 5ª, etc.

Cua – tro   sal – tos   en   ba – ja – da   y   lue – go

su – bo   por la es – ca – la

Estudio es una forma musical escrita para superar una dificultad técnica, suelen ser piezas breves que abordan un problema técnico concreto.

12

El **Rondó** es una forma musical en la que se alterna un tema principal (A) y otros temas secundarios (B, C, D...). Su estructura es A-B-A-C-A...

(A)

Henry Purcell (1659-1695)
"Rondeau"

Allegro

(2ª volta alla C)
(3ª volta Fine)

(B)

D.C.

(C)

D.C.

Tema con variaciones es una forma musical que consiste en un tema A, generalmente popular, que va repitiéndose varias veces modificado rítmica (cambian las figuras o el compás), melódica (se añaden notas de adorno a las notas principales del tema), armónica (variando el modo principal del tema, por su relativo o su homónimo), o instrumentalmente (variando la instrumentación).

G. Haendel
(1685-1759)

TEMA   Zarabanda*

Variación 1

Variación 2

Nuevas grafías. Algunos compositores hoy en día utilizan nuevos signos musicales, éstos suelen dar mayor libertad al intérprete, aunque a veces es al contrario y se pide una interpretación exacta de lo que hay escrito. Los compositores que los utilizan siguen combinándolos con los signos musicales tradicionales.
Aquí tienes algunos de ellos y su interpretación.

12

	Las notas mas gruesas suenan fuertes		Cluster: bajar las teclas negras de varias notas conjuntas a la vez
	Accelerando		Cluster: igual que el anterior, pero bajando las teclas blancas
	Rallentando		Trino con las notas que se dan
	Repetir una o varias notas acelerando y retardando		Golpe de tos
	Ondulaciones estrechas y rápidas	+	Boca cerrada
	Ondulaciones anchas y lentas	o	Boca abierta
	Calderón largo		Murmurar
∧	Calderón breve		Melismas. Boca cerrada y altura libre

1 Contesta Verdadero o Falso:

a. La imitación nunca respeta los intervalos. ☐ V ☐ F

b. La canción y el lied unen música y poesía. ☐ V ☐ F

c. El canon es una forma musical imitativa. ☐ V ☐ F

d. La estructura A-B-A-C-A corresponde al Rondó. ☐ V ☐ F

e. En el "tema con variaciones", las variaciones sólo pueden ser melódicas. ☐ V ☐ F

f. Las nuevas grafías sustituyen a los signos musicales tradicionales. ☐ V ☐ F

2 ¿Cuál es el nombre de esta forma musical?

Go – lon – dri –na quea–ban – do – nas nues –troho–gar contus a – las

te des – pi–des al pa – sar

3 ¿Y esta otra melodía a qué forma musical pertenece?

Es –tan doel se – ñor don ga – to sen–ta – di–toen

su te – ja–do–ma–rra ma miau miau

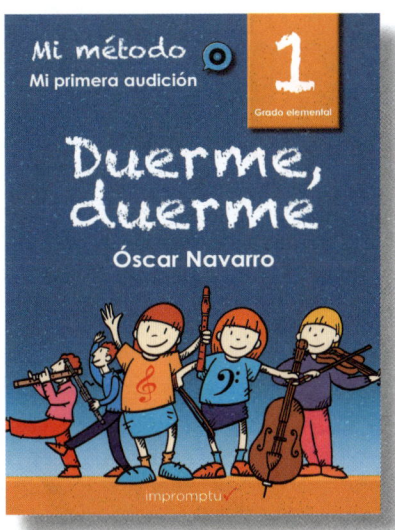

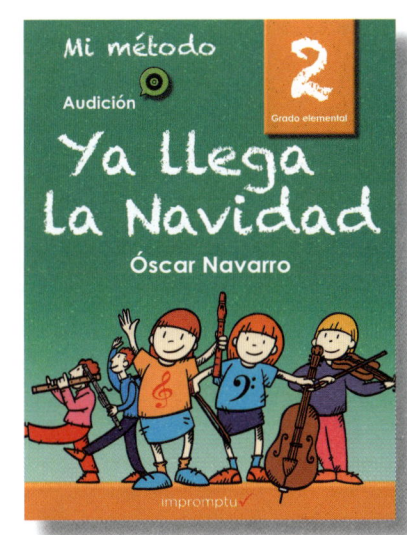

Los 12 movimientos de Circus Suite desarrollan los principales conceptos y material teórico de las unidades siguientes de **Mi Método 1** y **Mi Método 2** de Lenguaje Musical:

Mi Método 1
Unidad 5 Corre, corre que te pillo
Unidad 6 Caballitos
Unidad 7 Ciclistas
Unidad 8 El mago
Unidad 10 Spain is different

Instrumentación para formación flexible y para banda.

Mi Método 2
Unidad 1 Trapecistas
Unidad 2 Payasos
Unidad 5 La Bailaora
Unidad 6 Leones
Unidad 7 Elefantes
Unidad 8 Bailemos el twist con las focas
Unidad 11 Malabaristas (Vals)

impromptu✓